D1578943

Comment
oublier son ex
d'un bon coup de fourchette

Déjà parus dans la collection mon grain de sel dirigée par Raphaële Vidaling

Conception graphique : Claire Guigal
Mise en pages : Raphaële Vidaling
Photogravure : Frédéric Bar
et Peggy Huynh-Quan-Suu
Fabrication : Céline Roche

© Tana éditions
ISBN : 2-84567-329-9
Dépôt légal : Mai 2005
Imprimé en Espagne
contact : raphaele.vidaling@laposte.net

Comment
oublier son ex
d'un bon coup de fourchette

recettes solo
pour intermittents
du célibat

Textes : Claire Jacquet et Marina Veuillet
Photographies : Raphaële Vidaling

Tana
éditions

Sommaire

Je me venge sur la bouffe
Aux grands maux les grands remèdes !

Les mariages qui durent
Ceux qui ne vous laisseront jamais tomber !

Je deviens quelqu'un d'autre
Plaisirs toxiques

Je veux une tonne d'amour
Douceurs exquises

Introduction

C'est « la fin des haricots » et vous n'êtes plus « dans votre assiette », comme on dit… Votre histoire d'amour n'en est plus une et, que vous soyez celui/celle qui part ou celui/celle qui reste, le combat pour renouer avec le célibat est le même. À votre insu, des nœuds se sont noués dans votre estomac. Entre « Non, je ne veux voir personne » et « Oui j'arrive ! Tout pour ne pas rester chez moi ! », votre corps réclame une phase d'anorexie salutaire, mais passagère… Rien de plus normal.

Mais ce ne sont pas les chips ou autres trognons avalés distraitement, les commandes aux livreurs sur mobylettes rouges (enfin, ça peut dépendre de votre propre penchant pour l'uniforme) ni les boîtes de raviolis qui vont vous réveiller de cette hibernation ! Et ce ne sont pas non plus les panini ou les kebabs engloutis avant d'aller en boîte, ni les sushis français et les fast-foods mal cuits avalés en sortant (encore !) à 22 h du boulot qui vous aideront à retrouver la « zenitude ». Pour vous, la cuisine est devenue une carte bleue, un téléphone ou un meuble (vide) qui s'allume quand on l'ouvre. C'est qu'il manque tout de même le principal : le plaisir !

Alors il est temps de reprendre pied dans le présent, de recentrer cette existence de merde sur un îlot de certitudes : VOUS ÊTES VIVANT(E) ! Jouissez de chaque instant, savourez, picorez, pourléchez ; la vie est comestible !

Ce livre propose de redécouvrir les plaisirs de la vie, en commençant par ceux de bouche. Il est probable que vous ayez des envies très basiques (sucré/salé, doux/épicé) ou liées à des textures (moelleux/croustillant). La nourriture est la première victime de votre nouvelle vie en solitaire, mais aussi le premier vecteur de satisfaction, parce que facile d'accès. La cuisine commence par nourrir vos sens ; que ce soit pour choisir les produits sur un étal, doser les degrés de cuisson, admirer une belle assiette ou enfin se régaler, la vue, le toucher, l'ouïe, l'odorat et le goût sont mis à contribution. La cuisine est ainsi un très bon outil thérapeutique, elle occupe les mains et l'esprit, donne la preuve de votre capacité à réussir quelques petites prouesses et, une fois la confiance revenue, à imaginer des variantes pour personnaliser certaines recettes.

Et puis, se faire plaisir en mangeant, c'est aussi oser l'inattendu, le luxe et la fantaisie ! Vous n'êtes plus dans le quotidien mais vivez l'exception : c'est l'occasion de mettre à profit cette liberté retrouvée et de vous permettre quelques incartades gastronomiques. À vous d'être réceptif/ve à vous-même, le principe absolu étant : « Gâtez-vous, parce que vous le valez bien ! »

« Un seul être vous manque et tout est dépeuplé », gémit Lamartine. Alors, repeuplez votre vie en commençant par votre assiette…

Rois et reines : leur vie en cinémascope

Rien de tel qu'un bon film d'amour pour vous réconcilier avec l'existence et vous faire croire de nouveau à l'amour absolu et inconditionnel. C'est d'ailleurs toujours plus facile lorsqu'il ne s'agit plus de vous. Enfin presque… Car certains scénarios offrent d'étranges similitudes avec la vie réelle, malgré la formule bien connue « Toute ressemblance avec une personne réelle serait fortuite, etc. », jusqu'à devenir d'étranges bandes-annonces qui fonctionnent, consciemment ou inconsciemment, comme miroir, en mimant nos relations de couple en chute libre. Quand les mots manquent, le film est encore là pour porter la parole de l'impensable ou de l'inconcevable. À vous les studios !

Les mélos qui finissent bien

- *La Belle Nivernaise* de Jean Epstein
- *L'Aurore* et *City Girl* de Friedrich Wilhelm Murnau
- *L'Heure suprême* de Frank Borzage
- *Solitude* de Paul Fejos
- *Les Lumières de la ville* de Charles Chaplin
- *L'Atalante* de Jean Vigo
- *Elle et lui* de Leo MacCarey
- *Rebecca* d'Alfred Hitchcock
- *L'Homme de la rue* de Frank Capra
- *Je sais où je vais* et *Une question de vie ou de mort* de Michael Powell et Emeric Pressburger
- *L'Aventure de madame Muir* de Joseph L. Mankiewicz
- *Le Secret magnifique* et *Tout ce que le ciel permet* de Douglas Sirk

- *Lumière d'été* de Jean Grémillon
- *Le Port de l'angoisse* de Howard Hawks
- *Vers la joie* d'Ingmar Bergman
- *Pandora* d'Albert Lewin
- *L'Homme tranquille* de John Ford
- *Voyage en Italie* de Roberto Rossellini
- *Rivière sans retour* d'Otto Preminger
- *Lola* de Jacques Demy
- *Une histoire immortelle* d'Orson Welles

- *Minnie & Moskowitz* de John Cassavetes
- *Pakeezah, cœur pur* de Kamal Amrohi
- *La Maîtresse du lieutenant français* de Karel Reisz
- *Le Rayon vert* d'Éric Rohmer
- *Les Enfants du silence* de Randa Haines
- *Always* de Steven Spielberg
- *Les Amants du Pont-Neuf* de Léos Carax
- *Attache-moi* de Pedro Almodovar
- *L'Homme sans passé* d'Aki Kaurismaki

Les mélos qui finissent mal

- *Morocco, cœurs brûlés* de Josef von Sternberg
- *Back Street* de John Stahl
- *Voyage sans retour* de Tay Garnett
- *Duel au soleil* de King Vidor
- *Brève rencontre*, *Le Docteur Jivago* et *La Fille de Ryan* de David Lean
- *Écrit sur du vent*, *La Ronde de l'aube* et *Le Temps de vivre et le temps de mourir* de Douglas Sirk
- *La Fièvre dans le sang* d'Elia Kazan
- *Les Amants de la nuit* de Nicholas Ray
- *Liebelei* de Max Ophuls
- *Les Amants crucifiés* de Kenji Mizoguchi
- *Pierrot le Fou* de Jean-Luc Godard
- *Jules et Jim* et *La Femme d'à côté* de François Truffaut
- *L'Autre* de Youssef Chahine
- *Quelques jours dans la vie d'Oblomov* de Nikita Mikhalkov
- *Tous les autres s'appellent Ali* de Rainer Werner Fassbinder
- *Corps à cœur* de Paul Vecchiali

Je me chouchoute comme jamais l'autre n'a su le faire

Recettes cocooning : légères, douces ou légèrement acidulées

Personne ne m'aime

Encore plein(e) d'émoi, plein(e) d'effroi de vous retrouver seul(e) avec vous-même, vous vous sentez comme abandonné(e) au bord de la route, remisé(e) au rebut telle une vieille plante desséchée dans son pot… Pour avoir mérité un tel coup du sort, c'est sans doute que vous n'êtes pas plus intéressant(e), ni regardable, et donc encore moins désirable qu'un vieux clou. Incapable d'avoir une pensée cohérente ou de vous concentrer plus de dix secondes, vous en êtes au stade où l'on ne se révolte même plus.

Et pourtant… Qui vous connaît par cœur ? Qui sait exactement ce que vous aimez, quand et comment ? Qui connaît tous les détails qui vous touchent ? Mais vous, bien sûr, et personne d'autre !

Alors ne vous laissez pas tomber ! Et, comme les plaisirs s'esquivent alors que les ennuis vous bousculent, permettez-vous tous ceux qui sont simples, à domicile : commencez par prendre un bain. C'est le premier geste qui sauve (l'un des premiers remèdes dans la trousse de secourisme des cœurs brisés). L'eau vous enveloppe

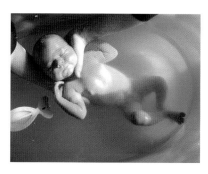

d'une douceur infinie et vous flottez comme une plume : c'est elle qui vous porte. C'est l'une des rares choses sur lesquelles vous puissiez compter, d'ailleurs, en ce moment, alors profitez-en. Ressourcé(e) par l'apesanteur de ce succédané de liquide amniotique, imaginez les petits riens qui pourront agrémenter vos prochaines régressions, comme de la mousse ou des huiles essentielles relaxantes (néroli, marjolaine, bigarade, clémentine…) ou quelques bougies à la place de cette impitoyable lumière nucléaire, voire de merveilleux petits chocolats à déguster en écoutant de la musique ou en bouquinant…

Vous voilà presque d'attaque pour reprendre place dans votre peau, sortir de chez vous, faire quelques courses et installer vos achats, en ajustant par là même votre paysage. Changer de place quelques bricoles, une lampe, et puis carrément vos meubles, re-configurer la chambre, accrocher des photos… Dans cette première période de reconstruction, sachez aussi être attentif/ve aux couleurs qui vous entourent : elles ont une incidence sur votre état d'esprit. Le blanc nettoie l'âme, le jaune la réchauffe, le rose la cajole, le rouge la stimule et le vert lui donne l'assurance d'un renouveau, tandis que le noir plonge dans le désespoir… C'est vous qui écrirez la suite du film et les couleurs qui vont avec !

D'ailleurs, à propos de films, choisissez-les pleins d'énergie (voir p. 10), et avec un happy end, si possible : le fatalisme est contagieux. Offrez-vous plutôt des comédies musicales comme celles de Jacques Demy, qui dégagent une « fureur de vivre » vertigineuse. Peau d'âne et les demoiselles de Rochefort ont beau traverser des périodes sentimentales difficiles, ils n'en finissent pas moins par danser dans la rue… En arriverez-vous là ?

Cette étape consiste à revenir aux fondamentaux. Sur le champ de bataille, il ne reste plus rien, sauf vous, pour constater l'ampleur du désastre. Eh bien, ce n'est déjà pas si mal, puisque c'est vous dont il faut prendre soin. C'est un premier pas, et c'est pourquoi les recettes de ce chapitre sont simples et réconfortantes.

Les bonnes résolutions

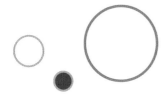

Nouvel intérieur

La silhouette de votre ex hante encore votre appartement en ombre chinoise ? Révisez votre intérieur, dans tous les sens du terme ! Changez la couleur d'un mur (il suffit d'un aplat sur un pan bien choisi), achetez-vous la lampe design dont vous avez toujours rêvé, prenez un abonnement hebdomadaire chez votre fleuriste…

Œillères en solde

Et si le truc qui fait mal, c'était la routine d'autrefois, la routine d'avant la rupture ? Changez vos habitudes ! Vous preniez votre café dans un bistrot précis ? Choisissez celui d'en face ! Vous lisiez tel hebdomadaire ? Essayez-en un autre. Abandonnez la voiture ou le métro pour découvrir votre ville à vélo. Et dans tous les cas, changez de route. Le salut est dans l'itinéraire bis.

Odeurs

Le mieux que l'on puisse vous conseiller, quand vous changez de cap, c'est de changer de parfum. Chaque époque de la vie possède sa carte mémoire olfactive. Vous étiez peut-être « I Love Again » ou « Trouble » autrefois. Avant la catastrophe, on vous avait d'ailleurs offe « Miracle », mais le miracle n'a pas opéré. maintenant, vous seriez plutôt « Opium » ou « Pu poison », n'est-ce pas ? À moins que vous ne penchiez plus du côté de la mystérieuse synthèse « Odeur 53 » de Comme des Garçons, qui évoque tout à la fois le linge qui sèche, les dunes de sable, le métal, l'oxygène et le vernis à ongles : zen garanti.

Rose est la vie…

Les fleurs se contemplent, se respirent, mais se mangent aussi… Osez le romantisme comestible ! Explorez les parcs et jardins alentour (pensées, capucines, pivoines, coquelicots, fleurs d'acacias…) ou renseignez-vous auprès de votre fleuriste, désormais votre nouvel ami. En salade, par exemple, mêlez à quelques feuilles de laitue et de frisée des capucines – 2 ou 3, elles sont très parfumées et poivrées – et assaisonnez de vinaigre de framboise et d'huile d'olive.

D'amour et d'eau fraîche

On ne vit pas d'amour et d'eau fraîche, vous venez de le comprendre. Ce serait plutôt « mélo et picole » qui feraient bon ménage en ce moment. N'abusez quand même pas et commencez une cure d'eau plate rythmée par quelques verres d'eau pétillante. C'est gai et conceptuel, autant que le Water-bar de Colette, qui propose quantité d'eaux minérales pour vous dégriser des soirées glauques. Après cette cure, vous êtes fin prêt(e) : les idées claires, la fleur au fusil, l'amour en bandoulière.

Salade gaie

L'époque est à l'innovation et à l'expérimentation en tout genre, avec un seul objectif : rompre avec la grisaille du quotidien et mettre de la couleur dans votre vie (et pourquoi pas des vitamines aussi !). Rénover la fameuse salade de tomates et feta devient soudain, sans trop savoir pourquoi, un vague soulagement (l'envie de passer à autre chose ?), si ce n'est un grand bol d'air frais dans votre assiette.

Temps de préparation : 5 min.

- 2 belles tranches de pastèque
- 50 g de feta
- 2 c. à s. d'huile d'olive fruitée
- 1 c. à s. de feuilles de menthe
- Sel et poivre

Peler les tranches de pastèque et ôter les graines. Couper la pulpe en gros cubes. Réserver quelques feuilles de menthe pour le décor et hacher le reste. Mélanger la pastèque, la feta et la menthe hachée. Saler et poivrer, arroser d'huile d'olive et garnir avec les feuilles de menthe réservées. Déguster très frais.

Mimosa de citrons confits

Pas encore prêt(e) à vous jeter sur un steak tartare de 300 g ? Voilà une belle alternative, recommandée par notre amie Clara, qui, les jours de grise mine, grimpe sur son toit, tel un écureuil, pour déguster cette assiette pleine de soleil et penser au prochain conte pour enfants qu'elle va illustrer, en attendant son prince charmant… qui doit être un garçon décidément très lent !

Temps de préparation : 15 min.

- 2 œufs
- 2 citrons confits
- 3 brins de ciboulette
- Poivre

Laver les œufs et les cuire durs en les plongeant dans l'eau bouillante salée pendant 10 min. Les laisser rafraîchir sous l'eau froide. Hacher les citrons confits (épépinés) ainsi que la ciboulette. Couper les œufs en 2 et extraire les jaunes pour les écraser avec les citrons confits et la ciboulette. Couper les blancs en lamelles et les disposer sur une assiette avec le mélange aux citrons confits. Poivrer. Il n'est pas nécessaire de saler, les citrons confits le sont déjà.

Salade de betterave au chèvre frais

Parfois, tous les plans sont chamboulés et, perdu(e), vous ressentez le besoin de retrouver l'authentique. Voici une assiette qui respire le jardin, le sous-bois et la cueillette : rappelez-vous, ce coin de campagne, la bande d'inséparables aux genoux cagneux, et le soleil, le vent, la vie ! Ça va déjà mieux, non ?

Temps de préparation : 5 min.

- 1 betterave cuite
- 1 fromage de chèvre frais
- 1 c. à s. d'huile de noisette
- 1/2 c. à s. de vinaigre de framboise
- Quelques feuilles de persil plat
- Quelques noisettes concassées
- Sel et poivre

Couper la betterave en fines rondelles et le fromage de chèvre en petits cubes. Ciseler le persil et concasser les noisettes. Disposer sur l'assiette la betterave et le chèvre frais. Parsemer de noisettes et de feuilles de persil. Émulsionner le vinaigre et l'huile avec du sel et du poivre. Arroser la salade de cette sauce et déguster.

Cœurs d'artichaut caramélisés au tarama

Défiez le cœur d'artichaut qui est en vous ! Cette recette aux couleurs délicates et apaisantes vous réconcilie avec le/la romantique que vous êtes et demeurez, contre vents et marées. Après *Le Rouge et le Noir,* **Stendhal n'avait-il pas lui-même écrit** *Le Rose et le Vert* **? L'histoire d'une femme passionnée, équivalent féminin de Julien Sorel, fermement décidée à prendre en mains son destin…**

Temps de préparation : 10 min.

- 3 cœurs d'artichaut (en conserve ou surgelés)
- 3 c. à c. de tarama (env. 50 g)
- 1/2 c. à c. de sucre en poudre
- Persil plat
- Beurre

Faire chauffer une poêle et y faire fondre une noix de beurre. Quand la poêle est chaude et le beurre fondu, faire revenir les fonds d'artichaut pendant 4 à 5 min, en les retournant de temps à autre pour qu'ils soient bien dorés. Au dernier moment, saupoudrer le sucre sur les artichauts et retourner une nouvelle fois recto verso, le temps que le sucre fonde et caramélise. Placer les cœurs dans une assiette et y déposer une noix de tarama. Une feuille de persil au sommet et le tour est joué !

Tian de légumes aux rogatons

Le mot « rogaton » désigne les restes d'un plat ou d'un repas, ces bribes de nourriture qu'on remise souvent au réfrigérateur, emballées dans du papier d'aluminium. C'est souvent le destin des morceaux de fromage qui n'ont pas été entièrement consommés lors de votre dernier dîner entre amis et dont vous ne savez que faire dans ce tout neuf destin de célibataire… Cette recette vous offre l'idée d'un joyeux et savoureux recyclage. Pour vous persuader qu'on peut faire beaucoup avec presque rien, et que, dans la situation qui est la vôtre, le rien n'est jamais le vide.

Temps de préparation : 40 min.

- 2 tomates
- 1 courgette
- 1 oignon
- Brie, chèvre, fourme d'Ambert, fromage de brebis, etc.
- Huile d'olive
- Thym
- Sel et poivre

Préchauffer le four à 190 °C. Peler l'oignon et le faire revenir dans une poêle doucement pendant 5 bonnes minutes pour qu'il soit bien doré. Le placer ensuite au fond d'un petit plat à gratin. Laver les tomates et la courgette et les découper en rondelles (on vous conseille de ne peler la courgette qu'à moitié, en alternant bandes de peau et bandes sans peau, dans le sens de la longueur du légume). Faire ensuite dorer recto verso les rondelles de courgette à la poêle. Couper les fromages en tranches. Il suffit ensuite de placer l'une derrière l'autre une rondelle de tomate, une rondelle de courgette, une tranche de fromage, et ainsi de suite, sur le lit d'oignon. Pour finir, saler, poivrer, parsemer de thym et ajouter un trait d'huile d'olive, le goût n'en sera que meilleur. Cuire au four pendant 25 min.

Soupe de nouilles udon

Une recette douce et chaude qui met l'évasion à portée de fourchette en un temps record. Il faut admettre que le plus difficile est sans doute de réunir tous les ingrédients, mais cette quête sera le début du voyage (initiatique, pour certains) et vous découvrirez que l'exotisme est peut-être caché entre les biscottes et les produits laitiers… Votre moitié aussi, pourquoi pas ?

Temps de préparation : 15 min.

- 1 c. à s. de poudre dashi (base pour bouillon)
- 1 à 2 c. à s. d'algue wakame déshydratée
- 1/2 c. à s. de pâte miso
- 125 g de nouilles sèches udon
- 7 jolies crevettes (crues de préférence)
- 1 tige de cive
- 30 g de tofu frais
- 1 c. à c. de mirin
- 1 c. à c. de sauce soja
- Huile de sésame (celle des marchés asiatiques)
- Piment (shichimi tôgarashi si possible)
- Sel

Porter à ébullition dans une grande casserole 50 cl d'eau. Y diluer la poudre dashi pour constituer un bouillon. Dans une autre casserole, mettre de l'eau à bouillir pour la cuisson des nouilles udon selon les indications portées sur l'emballage (en général, 5 min). Pendant ce temps, couper le tofu en petits cubes d'environ 1 cm de côté, ciseler le brin de cive et décortiquer les crevettes en laissant le bout de la queue. Égoutter et rincer les nouilles, puis les réserver au chaud (sous un couvercle) dans le bol de service. Verser en pluie les algues wakame dans le bouillon et maintenir l'ébullition jusqu'à ce qu'elles aient repris une consistance souple. Plonger les crevettes, et baisser le feu avant d'y incorporer le miso, le mirin et la sauce soja. Bien mélanger pour dissoudre le miso et ajouter le tofu. Saler. Lorsque les crevettes sont juste roses, verser le bouillon aux crevettes sur les nouilles udon, garnir avec la cive et quelques gouttes d'huile de sésame et saupoudrer de shichimi tôgarashi.

Variantes

Cette soupe est une base à partir de laquelle de nombreuses variations sont possibles. Les crevettes peuvent être remplacées par des lamelles de bœuf cru, un œuf battu, du porc sauté, des restes de poulet, etc. La garniture peut être enrichie de lamelles de champignons crus, d'algues nori grillées puis ciselées, de fines lamelles d'omelette…

Crème de riz à la pistache et à la fleur d'oranger

Florence est une drôle de fille qui, un jour, a décidé de ne plus mettre que des vêtements mous et élastiques, pour un confort définitif, et qui arrive à s'habiller néanmoins sans jogging. Voici sa recette préférée « des jours meilleurs », conçue comme ses vêtements, simples et sans couture. Un peu régressif, comme le riz au lait, avec des notes de pistache et de fleur d'oranger en signe d'un ailleurs possible.

Temps de préparation : 40 min.

- 30 cl de lait
- 20 g de sucre en poudre
- 50 g de riz rond
- 1 jaune d'œuf
- 5 g de beurre
- 1 gousse de vanille
- 1 c. à c. d'eau de fleur d'oranger
- Quelques pistaches fraîches
- Sel

Porter à ébullition une casserole d'eau salée. Plonger le riz pendant 1 min, puis l'égoutter. Faire bouillir le lait, ajouter le sucre, la vanille et enfin le riz.

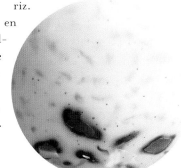

Faire cuire à feu doux de 30 à 35 min, en veillant à conserver une consistance moelleuse. Mélanger dans un saladier le jaune d'œuf et la fleur d'oranger, puis ajouter ce mélange au contenu de la casserole et faire cuire encore 1 min à feu doux. Hors du feu, incorporer le beurre et les pistaches. Verser dans des ramequins et mettre au frais.

Crème des Andes aux épices douces

Vivre de crème et d'espérance, vous avez essayé ? C'est l'assurance du retour définitif et durable, sinon de l'être aimé (voir le roman d'Olivier Cadiot), du moins… de votre équilibre intérieur. Oubliez pour l'instant les desserts trop ambitieux, sophistiqués ou caloriques. Celui-là s'allie au zen de vos nouvelles babouches en peau de chameau. Accompagné d'un thé vert, et si c'était le bonheur ?

Temps de préparation :
30 min.

· 10 cl de lait
· 6 cl de crème liquide
· 2 jaunes d'œufs
· 25 g de sucre en poudre
· 1/2 gousse de vanille
· 1/2 bâton de cannelle
· 1 capsule de cardamome
· 2 pincées de noix muscade
  fraîchement râpée

Préchauffer le four à 180 °C et faire chauffer de l'eau pour le bain-marie. Faire chauffer le lait et la crème avec la vanille (fendue en deux et grattée avec la pointe d'un couteau), la noix muscade, les graines de cardamome (contenues dans la capsule, qu'il s'agit juste d'ouvrir pour les extraire) et le bâton de cannelle. Laisser infuser hors du feu quelques minutes puis ôter la gousse de vanille et la cannelle. Garder très chaud. Dans un saladier, fouetter l'œuf et le sucre pendant 2 min et incorporer progressivement le lait bouillant. Le mélange doit être mousseux et crémeux. Placer la gousse de vanille et le bâton de cannelle dans un ramequin, verser la crème et poser le ramequin dans un plat à four rempli d'eau bouillante. Enfourner et cuire au bain-marie pendant 20 min environ. Laisser refroidir et placer au réfrigérateur pendant 2 h avant de servir.

Coupe de fraises et de mangue à la menthe

Envie de fraîcheur sans forcément aller du côté d'Hollywood ni rencontrer la fatale Nathalie Wood ? Prenez ce dessert comme une première étape salutaire et donnez-vous la peine de vous offrir les suivantes selon l'humeur et les surprises du moment.

Temps de préparation : 7 min.

- 100 g de fraises
- 1 mangue
- 2 brins de menthe
- 1 sachet de sucre vanillé

Laver les fraises et les couper en quatre. Ôter la peau de la mangue et couper la chair en petits morceaux. Mixer le tout dans un bol en saupoudrant le contenu d'un sachet de sucre vanillé. Ciseler les feuilles de menthe et les ajouter aux fruits. Réfrigérer 30 min puis déguster.

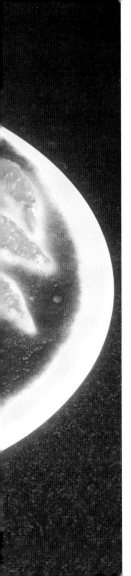

Je me bluffe moi-même…
et son fantôme avec

Recettes relevées, corsées, chères, inavouables

La vie est trop moche

Vous voilà revenu(e) sur la route de la vie, avec l'espoir fragile de connaître encore plein de petits bonheurs, mais il y a parfois des jours où les chocolats sont mangés, où le chauffe-eau est en panne, où les sourires ont été remplacés par des regards indifférents. Ces jours où les patrons sont trop pressés, les clients trop pointilleux et les collègues hilares sans que personne ne daigne vous expliquer pourquoi. C'est sûr, tout le monde s'est donné le mot, c'est une conspiration. De la tartine qui a atterri sur votre jean au type qui vous a bousculé(e) dans la rue, en passant par les vacances malvenues de votre fleuriste, et vos amis qui ne vous appellent pas ! Caliméro, c'est vous. La tête sous l'oreiller, les dents serrées, vous ne pouvez réprimer ce qui fait trembler vos lèvres : « C'est trop injuste ! »

Respirez un bon coup. Ce cri, poussez-le, si ça peut vous faire du bien, mais de toutes vos forces, et expulsez-le ! Pour ne pas vous laisser glisser dans une « victimite » aiguë qui ne vous mènera nulle part, débarrassez-vous au plus vite de ce passé un peu encombrant, quitte à bluffer un peu votre entourage… Quand on a l'impression de tout subir, que le monde s'élève contre soi, il faut le mettre à genoux. À vous de provoquer le destin, de prendre les choses en main et d'abandonner les tâches subalternes.

Pour les nécessités, allez au plus simple et, selon vos moyens, investissez dans de la vaisselle jetable ou, pour les plus solvables, carrément dans un lave-vaisselle. Embauchez une femme de ménage pour lui confier seau et serpillières et prenez un abonnement au pressing du coin ! Mais vous pouvez aussi transformer ces corvées en moments ludiques, sportifs même, avec de la musique qui vous redonne la pêche et la bonne humeur (essayez Marvin Gaye, les Jackson Five, Gloria Gaynor ou l'irrésistible *Twist'n shout* des Beatles !) et adoptez un look « infroissable » pour pouvoir remiser votre fer à repasser.

Et si votre carrière ronronne, que vos collègues sont les mêmes depuis cinq ans, qui vous empêche d'explorer les possibilités de mutation, de promotion, ou même de tenter une reconversion ? L'objectif est de prendre de la hauteur au regard des événements, tout en restant les pieds sur terre. Cela vous donnera le loisir de préméditer de douces folies, d'expérimenter ce que vous n'avez jamais osé, d'inventer de nouvelles façons de faire les choses du quotidien. Vous pouvez commencer par demander qu'on vous emballe vos achats dans des paquets cadeaux, pour avoir le plaisir de vous les offrir, ou par jeter vos pantoufles et pyjamas hors d'âge pour décider de vivre nu(e) derrière vos volets, ou encore par organiser des dîners somptueux rien que pour vous.

Chaque étape de cette (re)construction est un pied de nez au fameux (non)destin dont nous nous croyons tous affligés. Petit à petit, vous reprenez le contrôle de votre vie, vous êtes de nouveau le capitaine du navire qui a, certes, pris un peu l'eau, mais vous gardez le cap, c'est une histoire de temps. Un temps pour oublier et un temps pour reconquérir la planète.

Ce chapitre propose de remettre la machine en route, quitte à utiliser des bouées. Vous êtes vivant(e), c'est bien, mais c'est insuffisant pour ne pas périr d'ennui. Les recettes qui suivent font sortir vos repas de l'ordinaire, comme si chaque jour était une célébration.

Les pansements de l'âme

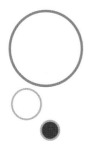

Le poil de la bête

La vie de couple avait progressivement assagi votre caractère entreprenant. C'est le moment de reprendre du poil de la bête et de vous montrer sous un autre jour. En commençant par vous offrir une fourrure, vraie ou fausse, neuve ou d'occasion – tiens, c'est étrange, l'idée ne vous avait jusqu'alors pas même chatouillé(e) ! Blotti(e) à l'intérieur de cette enveloppe calorifère, vous êtes comme un enfant dans les bras de sa mère ou de son nounours géant. Bienheureux objet transitionnel.

Le grand Je

Ce soir, vous n'avez pas d'invités, alors invitez-vous à passer à table comme un prince ou une princesse : sortez l'argenterie de mamie, la belle nappe en lin de tante Sophie, les chandeliers de grand-papa et les bougies qui sentent. Vous n'avez rien à envier aux VIP ou aux têtes couronnées, qui s'ennuient sur leur yacht comme vous sur les bateaux-mouches… Laissez votre ego s'épanouir dans l'autodérision.

Mer en vue !

Ce soir, c'est *Thalassa* à la télé. Et pourquoi ne pas se commander une bourriche d'huîtres pour accompagner cet indéfectible Georges Pernoud, fidèle au poste ? Oubliez les occasions sagement répertoriées par le calendrier, et prenez la tangente des sentiers battus. Cédez aux plaisirs même les jours ordinaires, tous les jours de « non anniversaire », et, en matière de plaisir, les huîtres sont championnes toutes catégories : charnelles, voluptueuses et, dit-on, aphrodisiaques.

Le grand Jeu

Poussez pour la première fois la porte d'un créateur de mode : c'est grisant. Dans une nouvelle tenue Alexander McQueen un peu excentrique, vous vous sentez unique. Si vous êtes un peu fauché(e), rabattez-vous sur les ventes privées ou les accessoires (ceintures, foulards, bonnets, bagues, porte-clés), ou encore sur des chaussures à la surface peu recouvrante (donc moins chères !) : vous avez pensé aux tongs Prada ou Marc Jacobs ?

Tout fout l'camp

Vous avez changé de partenaire, puis d'appartement, vendu votre voiture, pris un abonnement aux transports urbains, perdu quelques amis et oublié de nourrir vos poissons rouges, qui en sont morts… Qu'à cela ne tienne, c'est peut-être le bon moment de changer aussi de boulot et d'aller voir ailleurs, non ?

Poivrons aux anchois

Encore sonné(e) par tant de secousses, vous ne savez plus dans quelles eaux vous nagez ou à quelle altitude vous planez. Redescendez sur Terre et ne vous laissez pas submerger par les bas-fonds ! Pensez au poivron, un solide légume du terroir, et aux anchois, aussi vifs que puissants en bouche. Adoptez le point de vue du terrien et du plongeur, alternativement, en faisant valoir votre formidable adaptabilité !

Temps de préparation : 30 min.

- 2 petits poivrons de couleurs différentes
- 3 anchois entiers (ou 6 filets d'anchois) au sel
- 1/2 verre d'huile d'olive fruitée
- Poivre

Rincer les anchois, lever les filets et enlever soigneusement les grosses arêtes. Les laisser tremper dans de l'eau froide. Passer chaque face des poivrons sous le gril jusqu'à ce que la peau cloque et noircisse. Les enfermer dans un sac à congélation (éviter d'utiliser un autre genre de sac plastique, certains composants étant des toxiques alimentaires). Pendant ce temps, faire chauffer doucement l'huile d'olive dans une petite casserole. Ajouter les anchois égouttés, essuyés et hachés. Remuer souvent la sauce ainsi obtenue et veiller à ne jamais atteindre l'ébullition. Peler les poivrons, les épépiner, les débiter en quartiers et les essuyer. Les disposer sur une assiette et arroser de l'huile à l'anchois.

Soupe de cresson au caviar

Pour goûter ce plat, il faut un peu avoir envie de casser sa tirelire, sinon passez votre chemin ou attendez l'âme sœur pour vous offrir la surprise toujours renouvelée de savourer ces précieux œufs. Mais au diable l'avarice et finissez-en avec le remords et la culpabilité ! En Russie, être très riche signifie engloutir une boîte de caviar avec 2 petites cuillères, une dans chaque main — cela devrait mettre fin à vos scrupules ! Cela dit, riche, au-delà de l'aspect pécuniaire, ne l'êtes-vous pas ?

Temps de préparation : 45 min.

· 1 botte de cresson
· 100 g de pommes de terre
· 1 petit oignon
· 1 c. à c. bombée de caviar
· 12,5 cl de lait
· 15 g de beurre
· 1 c. à s. de crème liquide
· Fines herbes
· Sel et poivre

Laver et sécher le cresson puis le hacher grossièrement. Laver et éplucher les pommes de terre puis les couper en petits cubes. Émincer finement l'oignon. Dans une casserole, faire fondre doucement le beurre et ajouter l'oignon, les pommes de terre et le cresson. Laisser suer pendant 5 min, sans faire colorer. Verser le lait et autant d'eau, monter au point d'ébullition et laisser cuire pendant 30 min sans bouillir. Saler légèrement et poivrer. Mixer. Verser une spirale de crème liquide, ciseler finement quelques fines herbes par-dessus et confectionner à l'aide de 2 petites cuillères une quenelle de caviar, à déposer délicatement sur la soupe.

Œuf cocotte aux morilles

Les morilles sont rares et très recherchées : elles vous sont destinées ! Printanières, elles apparaissent dès la fonte des neiges, entre mars et mai. Mais mieux vaut les acheter dans le commerce, séchées et sous vide, plutôt que de vous lancer à l'assaut des paysages sylvestres. Cela vous fera gagner du temps et vous épargnera sans doute la déception de ne pas y croiser d'ami(e) ou d'amant(e). Le bûcheron — s'il cristallise encore pour vous une image d'homme fort et rassurant — se fait rare. Quant au *sex appeal* de la bûcheronne...

Temps de préparation : 40 min.

· 1 œuf
· 5 g de morilles déshydratées
· 10 g de beurre
· Jus de citron
· 1 c. à c. de crème fraîche
· Sel et poivre

Faire tremper les morilles dans de l'eau tiède pendant 15 min, les égoutter puis les plonger pendant 10 min dans de l'eau bouillante. Les rincer sous l'eau courante et les sécher soigneusement. Préchauffer le four à 210 °C. Couper les plus grosses en deux. Les faire sauter dans une petite poêle avec le beurre et quelques gouttes de jus de citron. Beurrer un ramequin, y verser le blanc d'œuf. Saler et ajouter les morilles de façon à former un petit nid. Déposer le jaune d'œuf et la crème fraîche au centre du nid et poivrer. Couvrir de papier d'aluminium et passer au four pendant 5 min.

Poêlée de légumes verts au sésame

Manger des légumes verts, c'est entamer une vraie cure de vitalité. Cuisinés ensemble, et non plus séparément, et transformés par le gingembre et l'huile de sésame, ils deviennent aussi affriolants qu'un bal des pompiers un soir de 14 juillet… Secret de notre amie Ariane.

Temps de préparation : 20 min.

- 300 g de légumes verts croquants en associant 3 variétés différentes de 100 g chacune (haricots, asperges, brocoli, poivron, pois gourmands, fenouil, courgette…)
- 1 c. à c. de gingembre frais
- 1 gousse d'ail
- 1 c. à s. d'huile de sésame
- 1 c. à s. de graines de sésame
- Huile de friture
- Sel et poivre

Laver et essuyer tous les légumes, puis les couper en tronçons de 5 cm de long. Faire chauffer à feu vif une poêle avec un peu d'huile de friture, et faire revenir le mélange pendant une dizaine de minutes, jusqu'à ce que les légumes soient dorés sur tous les côtés. Baisser le feu et couvrir. Hacher finement le gingembre et la gousse d'ail pour les incorporer à la poêlée de légumes encore croquants. Ajouter l'huile de sésame, saler, poivrer et remettre le couvercle. Pendant ce temps, dans une autre poêle, faire revenir les graines de sésame sans aucune matière grasse pendant 1 min à peine, jusqu'à ce qu'elles blondissent. Disposer les légumes dans une assiette et, au dernier moment, les parsemer de graines de sésame.

Œuf au foie gras

Faire simple et délicieux tient (parfois) du luxe, c'est ici le cas. Mais il suffit d'explorer les rayons de votre supermarché pour vous apercevoir qu'il existe des petites boîtes de foie gras relativement abordables et pas plus chères qu'un très bon pot de confiture (signé). Si vraiment vous êtes fauché(e), essayez le plan B, en troquant le foie gras pour le gorgonzola, n'en déplaise à Maï, qui nous a confié ce remontant pratiqué à chaque moment de faiblesse. Dans tous les cas, faites vôtre cet adage : « Aujourd'hui, tout est permis. »

Temps de préparation : 15 min.

· 1 gros œuf très frais
· 20 g de foie gras
· 1 c. à c. de crème fraîche
· 1 noisette de beurre
· Sel et poivre

Faire chauffer 1 l d'eau. Faire préchauffer le four à 180 °C. Beurrer un ramequin passant au four. Déposer de fines lamelles de foie gras au fond puis la crème fraîche par-dessus. Casser l'œuf dans le ramequin sans briser le jaune. Saler légèrement et poivrer généreusement. Verser l'eau bouillante dans un petit plat allant au four et déposer le ramequin au centre. Cuire pendant 10 min au bain-marie.

Variante

À la place du foie gras, cuire l'œuf sur un petit lit de tomates concassées avec un peu de basilic et de gorgonzola.

Lasagnes de la mer

Envie d'un bon bol d'air, de voyages au long cours, bref de prendre le large ? Un conseil : commencez par écrire cette fiction d'horizon et d'embruns en cuisine, pour un prix tout à fait abordable. De la chair de crabe, des crevettes décortiquées, quelques noix de Saint-Jacques, et le tour est joué : vous êtes à Biarritz, Barcelone, Palerme, après le déluge. Encore un peu sonné(e) mais avide et amoureux/se… de la vie, tout simplement.

Temps de préparation : 45 min.

- 3 feuilles de lasagnes sèches
- 200 g de poireaux
- 80 g de crevettes décortiquées
- 100 g de noix de Saint-Jacques
- 2 pinces de tourteau décortiquées
- 25 cl de court-bouillon léger
- 1 c. à s. de farine
- 10 g de beurre
- 1 c. à s. d'huile
- 2 pincées de piment d'Espelette
- 1 pincée de safran
- 2 c. à s. de persil
- 30 g de parmesan râpé
- Poivre

Préchauffer le four à 220 °C. Faire chauffer le beurre et l'huile dans une grande poêle. Y faire sauter les noix de Saint-Jacques pendant 1 min de chaque côté (pas plus). Les ôter à l'aide d'une écumoire et les mettre de côté. Dans la même huile, faire revenir doucement les poireaux, jusqu'à ce qu'ils soient fondants. Pendant ce temps, hacher le persil plat et couper en 2 ou en 4 les noix de Saint-Jacques les plus grosses. Faire chauffer le court-bouillon avec le safran et le piment d'Espelette. Saupoudrer les poireaux de farine et laisser cuire en remuant pendant 2 min. Mouiller avec le court-bouillon tout en continuant de remuer jusqu'à ce que le mélange épaississe. Ajouter alors les noix de Saint-Jacques, les crevettes, la chair de crabe et le persil plat haché. Poivrer. Surtout ne pas saler, le sel des fruits de mer et du court-bouillon étant suffisant. Dans un plat rectangulaire de la taille des feuilles de lasagnes, disposer en couches successives une feuille de lasagne, de la farce, un peu de parmesan et ainsi de suite jusqu'à épuisement des ingrédients. Terminer par de la farce et une couche généreuse de parmesan. Cuire au four de 20 à 25 min, jusqu'à ce que la surface soit bien dorée.

Variante

Les coquilles Saint-Jacques peuvent être remplacées par des moules, des coques, etc. Il suffira de les ouvrir sur feu vif et d'éliminer les coquilles. Récupérer et filtrer le jus, à compléter avec le court-bouillon pour en obtenir 25 cl de liquide. La recette peut être enrichie de toutes sortes de fruits de mer, selon votre goût.

Soupe de pêches à la verveine et au poivre

C'est le puissant élixir de jouvence mis au point par Sébastien, dont la devise en cuisine est de « faire toujours au plus simple en révélant au maximum les parfums ». Votre vie est peut-être assiégée, mais vous restez le roi (ou la reine) du royaume de votre assiette !

Temps de préparation : 15 min.

- 2 pêches jaunes bien mûres
- 1/2 citron
- 2 c. à s. de sucre en poudre
- 30 cl de vin rouge léger et fruité
  (le vin d'Irany, près de Chablis, est parfait)
- 2 à 3 feuilles de verveine fraîches ou séchées
- Poivre

Après les avoir bien lavées, découper des pêches jaunes en quartiers sans ôter leur peau et verser dessus le sucre et le jus de citron. Chauffer une bonne dizaine de minutes le vin rouge en évitant de le porter à ébullition, pour laisser s'évaporer l'alcool. Plonger des feuilles de verveine juste avant de retirer la casserole du feu. Plonger ensuite les pêches dans le vin ainsi parfumé et mettre au frais. Avant de servir, poivrer d'un tour de moulin.

Sabayon d'agrumes au romarin

Le soleil est à son zénith, vos volets sont clos sur un estomac serré et un cœur brisé ; vous réclamez une morsure douce, du sucre et du poison avant de sombrer dans une sieste qui restera malheureusement bien sage. Un dessert qui se prémédite pour avoir le plaisir d'être fouetté par la fraîcheur du fruit et envoûté par la chaleur des épices.

Temps de préparation : 20 min.

- 1/2 melon
- 5 g de gingembre frais
- 30 g de sucre en poudre
- 1/2 bâton de cannelle

La veille, placer le melon au réfrigérateur. Le jour même, peler et hacher le gingembre. Le mettre dans une casserole avec la cannelle et 10 cl d'eau. Porter à ébullition et laisser cuire jusqu'à obtenir un sirop.

Pendant ce temps, ouvrir et épépiner le melon. À l'aide d'une cuillère parisienne, confectionner des boules de melon. Mettre les boules dans un saladier et napper du sirop débarrassé du bâton de cannelle. Remuer délicatement, et mettre au congélateur pendant 15 min.

Remuer de nouveau et remettre au congélateur encore 15 min, puis déguster.

Carpaccio d'ananas à l'huile d'olive

Aussi étonnante que soit cette association d'un fruit, d'une huile et d'une épice, c'est l'harmonie absolue. Le rêve fait dessert. L'ananas est à choisir bien mûr, car son jus, dans la rencontre avec l'huile d'olive, se gorge soudain de soleil. Sans forcément aller à Tahiti, votre vahiné n'est peut-être pas loin. Essayez le Sud…

Temps de préparation : 10 min.

- 1/2 ananas bien mûr
- 1 gousse de vanille
- Huile d'olive douce

Découper la moitié de l'ananas en enlevant l'écorce. Débiter le fruit en fines tranches et les disposer dans une assiette. Napper légèrement d'un filet d'huile d'olive à choisir très douce (celle de Nyons est une merveille) et parsemer de graines de vanille fraîche, obtenues en grattant au couteau la gousse coupée dans la longueur.

Pastilla de dattes aux épices

Le chameau a claqué la porte et vous êtes en pleine traversée du désert. Vous connaissez les nuits froides et solitaires, mais voilà une douceur pleine de contrastes entre le moelleux du cœur et le croustillant de l'habit, et un trait d'*al khôl* pour maquiller votre ennui. Vous pouvez alors ouvrir les yeux sur les beautés du ciel étoilé, le charme des bivouacs au thé à la menthe, l'opportunité des oasis… n'est-ce pas, *habibi* ?

Temps de préparation : 35 min.

· 6 dattes sèches
· 6 pistaches grillées non salées
· 1/2 citron non traité
· 1 c. à s. de rhum brun
· 2 pincées de noix muscade râpée
· 1 clou de girofle
· 2 feuilles de brick
· 5 g de beurre
· Cannelle en poudre
· Quelques graines de cumin

Préchauffer le four à 175 °C. Dénoyauter les dattes et les couper en petits morceaux. Laver le citron, le couper en rondelles et l'épépiner. Dans une petite casserole, mettre à chauffer 25 cl d'eau avec le rhum, la noix muscade, le clou de girofle et le citron. Lorsque le mélange arrive à ébullition, ajouter les dattes et les pistaches. Laisser mijoter pendant 10 min et laisser tiédir hors du feu. Pendant ce temps, faire fondre le beurre. En badigeonner légèrement les feuilles de brick sur une seule face et disposer celles-ci face beurrée sur le plan de travail. Filtrer le sirop et mettre les fruits (sans le citron) au centre d'une feuille de brick. Rabattre les 4 côtés et poser, pliures en dessous, sur l'autre feuille de brick. Plier la seconde feuille de même et poser sur une lèche-frite, pliure en dessous. Badigeonner de beurre fondu et parsemer de graines de cumin. Cuire au four pendant 15 min. Pendant ce temps, hacher les quartiers de citron et les ajouter au sirop. Faire réduire jusqu'à ce que le blanc du citron soit translucide. Servir avec un trait de sirop et une pincée de cannelle et de muscade.

Je me venge sur la bouffe

Aux grands maux les grands remèdes !

Je vais tous les bouffer !

Reparti(e) avec entrain, vous avez envie de tout faire, tout voir, tout boire. Le temps des regrets est fini. Après tout, c'était un peu comme donner de la confiture aux cochons, non ? Même si on dit aussi que « dans le cochon tout est bon », il était temps de laisser cette vie de basse-cour à un nouveau postulant à la ferme du bonheur. Vous n'avez que trop attendu, rongé votre frein, espéré en vain le sursaut de l'autre, et fini par combler l'enthousiasme qui lui manquait. Depuis, vous mettez les bouchées doubles et engloutissez sa part. Vous ne vous arrêtez jamais, enchaînez sorties sur sorties, travail sur projets et, actif/ve comme jamais, vous êtes persuadé(e) d'être très content(e). Mais vous êtes-vous jamais posé la question ? Le cumul des activités qui grignotent sur votre sommeil commence à vous rendre irritable et cette course effrénée vous anesthésie tout autant que le choc initial.

Dans cette phase d'assouvissement de votre frustration, vous êtes un peu comme Obélix qui réclame sa potion magique d'antan pour faire face à un coup de mou. Donnez-vous des objectifs simples, comme aller vous promener sans avoir d'emplettes à faire ou d'amis à aller voir. Depuis combien de temps n'avez-vous pas laissé le vent vous pousser au large, pour un lèche-vitrine sauvage ou la contemplation d'un géranium ? Redécouvrez le plaisir d'être vous-même, à votre

propre tempo, et pourquoi ne pas vous consacrer de temps en temps une vraie soirée rien qu'à vous ? Mitonner un petit plat et, s'il doit mijoter, peut-être vous plonger dans un bon bouquin, histoire de vous évader sans quitter votre canapé, ou, si vous avez peur de vous trouver ennuyeux/se, vous connecter à un *chat,* ou encore téléphoner à de vieux amis. Et grignoter avec délice un dessert maison. Ah ! se glisser sous la couette et dormir !

Tiens, ça fait longtemps que vous n'avez pas eu le temps de prendre un vrai petit déjeuner, alors profitez de cette lente mastication pour songer au prochain plat qui vous fera redémarrer au quart de tour, parce que la nourriture, c'est la vie. Veillez à choisir plutôt la bonne, pour ne pas carburer au gloubiboulga ni sombrer dans le délire orgiaque de *La Grande Bouffe*, le film de Marco Ferreri.

Cette étape consiste, puisque la machine est repartie, à ne pas vous mettre knock-out par surchauffe. Retrouver les vertus de la patience, se ménager de longs prélimi-naires en prenant vraiment le temps de cuisiner. Les recettes sont ici reconstituantes, solides, parfois un peu longues à préparer, mais la récompense n'en est que meilleure !

Petits conseils pour remonter la pente

Sortez la dinette

Conjurer le sort par une débauche d'aliments, c'était l'idée du *Festin de Babette*, vous vous souvenez ? Stéphane Audran, penchée à ses fourneaux, faisant la démonstration que le plaisir commence dans l'assiette pour égayer une communauté austère et sans désir. Commencez par partir en quête de jolie vaisselle pour accueillir tous les scénarios possibles : un bon prétexte pour découvrir quelques designers inventifs !

La cuisine, espace de création

Afin de réinventer votre vie, la cuisine est un espace idéal pour vous livrer à des expérimentations tous azimuts. Si vous voulez forcer franchement le destin, laissez-vous tenter par l'acquisition de nouveaux ustensiles : sorbetière, appareil à gaufres, à pâtes fraîches ou à croque-monsieur, mandoline, cuillères parisiennes, turbotière, chinois, wok, poche à douille…

Gloubiboulga

Autrefois, Casimir dévorait tous les soirs son gloubiboulga à la télé et on se demandait bien de quoi il était constitué. À vous d'inventer cette recette miracle hyperénergétique pour retrouver la patate et oublier ce cornichon (celui/celle qui vous a quitté(e), ou que vous avez quitté(e), pas Casimir). Rechargez vos batteries, vous en avez bien besoin : l'heure n'est pas aux régimes amaigrissants qui vous rendent pâle et triste, mais plutôt à l'excès. Qui veut aller loin ménage sa monture et avale son gloubi !

Toujours plus

Il fut un temps où l'on pouvait choisir, à la pompe à essence, entre le plein de super ou d'ordinaire. Dans votre cuisine, c'est un peu pareil. À vous de choisir. On ne saurait trop vous conseiller le régime « super plus », pas forcément quantitativement, mais qualitativement, sans hésitation !

Camomille

Si vous vous éclatez la panse sans ménagement, pensez aux tisanes pour remonter la pente. Plus efficace que les médicaments, la camomille romaine a un effet apaisant sur la digestion. Recommandée aussi après les bonnes cuites. Et si vous vous preniez une cuite de camomille, maintenant ?

Pâtes aux herbes

C'est aussi simple et réconfortant qu'un bol de corn-flakes, mais diablement plus énergisant, car les herbes aromatiques fraîches délivrent ensemble un parfum inaccoutumé, aux accents toniques. De quoi reprendre du poil de la bête, les pieds sur terre et la tête encore dans les nuages.

Temps de préparation : 15 min.

- 125 g de pâtes
- 4 feuilles de basilic
- 3 brins de persil plat
- 2 brins de cerfeuil
- 1 pincée de fleurs de marjolaine séchées
- 7 tomates cerises
- 1 gousse d'ail
- Bouillon de légumes
- 2 c. à s. d'huile d'olive

Laver et sécher les tomates cerises et les herbes. Ciseler les herbes. Peler et hacher finement l'ail. Faire chauffer l'huile d'olive dans une poêle et y faire revenir doucement les tomates cerises et l'ail pendant 10 min. Ajouter au besoin un peu de bouillon de légumes, car l'ail ne doit pas brûler, il deviendrait amer. Pendant ce temps, cuire les pâtes dans une grosse quantité d'eau bouillante salée avec une goutte d'huile d'olive. Les égoutter, les ajouter dans la poêle, ainsi que les herbes ciselées. Mélanger et servir.

Waterzoï de poisson

Vous n'avez pas la chance d'avoir un feu de cheminée pour réchauffer votre cœur tout endolori ? Pensez au waterzoï, une spécialité belge dont la petite note de bière, qui s'accorde si bien avec le poisson, va vous redonner la patate.

Temps de préparation : 35 min.

- I pavé de saumon
- I petit filet de cabillaud
- I/2 oignon
- I carotte
- 2 pommes de terre
- I poireau
- I/2 bouillon cube
- I5 cl de bière
- I brin de thym
- I feuille de laurier
- I c. à s. de crème fraîche
- I jaune d'œuf
- Beurre
- Sel et poivre

Laver et couper la carotte, les pommes de terre et le poireau en petits morceaux. Les faire revenir dans une casserole avec un peu de beurre de 3 à 4 min. Pendant ce temps, faire bouillir 40 cl d'eau et y dissoudre le demi-bouillon cube. Verser ce bouillon et la bière dans la casserole de légumes. Saler, poivrer, ajouter le laurier et le thym. Couvrir et cuire I5 min en mélangeant de temps en temps. Ajouter les 2 morceaux de poisson et poursuivre la cuisson 5 min. Quand c'est prêt, retirer la casserole du feu, ajouter la crème fraîche et le jaune d'œuf et mélanger. Déguster comme une soupe ou avec du riz en accompagnement.

Tartiflette normande

Vous avez été si chiche avec votre estomac qu'il crie famine et votre indifférence le désespère… Alors, vite, défiez l'ogre qui sommeille en vous avant de tomber en catalepsie ! Votre vie est désormais placée sous le sceau de la nouveauté ? Laissez-vous tenter par cette tartiflette rénovée en troquant le reblochon pour le pont-l'évêque et le vin blanc pour le cidre…

Mourir de faim par amour, vous n'y pensez pas, quel gâchis ! Tant de choses vous attendent qu'il vaut mieux bien caler votre estomac pour l'endurance, histoire d'être prêt(e) pour le meilleur et, cette fois, rien que le meilleur.

Temps de préparation : 35 min.

- 3 pommes de terre
- I/2 pont-l'évêque
- 50 g de lard fumé
- 3 échalotes
- 3 c. à s. de cidre
- Beurre

Peler les pommes de terre, les couper en 2, et les faire cuire à la vapeur une dizaine de minutes. Préchauffer le four à 240 °C. Peler les échalotes, les émincer puis les faire revenir dans une poêle avec un peu de beurre. Faire blanchir les dés de lardons fumés en les plongeant dans une casserole d'eau bouillante et les laisser dégraisser de 2 à 3 min. Disposer dans un plat à gratin les pommes de terre avec les échalotes et les lardons, puis verser le cidre. Recouvrir du demi-pont-l'évêque coupé transversalement. Cuire au four 20 à 25 min environ.

Morteau à la cancoillotte

Contre la famine et l'anorexie passagère, adopter ce plat typiquement franc-comtois et roboratif. Facile, rapide, il vous donne l'impression de vous amarrer aussitôt à une bonne enclume et d'en finir avec le vague à l'âme des jours de tempête où tout semble chavirer. Consolidez-vous le moral à coup de replâtrages à la cancoillotte, vous ne vous en porterez que mieux.

Temps de préparation : 30 min.

- 3 ou 4 petites pommes de terre (spécial vapeur)
- 1 petite saucisse de Morteau
  (ou une saucisse de Montbéliard)
- 1 petit pot de cancoillotte nature
- Quelques feuilles de salade verte
- Quelques baies de genièvre

Plonger la saucisse de Morteau non piquée (pour qu'elle conserve toutes ses épices) dans une casserole d'eau froide. Faire bouillir et laisser frémir pendant 20 min. Pendant ce temps, laver et peler les pommes de terre et les cuire à la vapeur 15 à 20 min. Faire fondre la cancoillotte au bain-marie ou quelques secondes au micro-ondes. Disposer sur des feuilles de salade les pommes de terre et la saucisse et napper le tout de la cancoillotte fondante. Ajouter quelques baies de genièvre.

Penne aux orties

Deux façons de jeter votre « peine aux orties »…
Version noire : votre ex, vous l'auriez bien balancé(e)
aux orties, alors régalez-vous de ce plat de pâtes en
imaginant cette scène au comique cinématogra-
phique de base qui vous fera soudain retrouver le sourire
jusqu'à l'hilarité. Version rose : dégustez ces pâtes et riez
cette fois très franchement en pensant à notre ami Gianni, l'auteur de cette
recette, qui s'enorgueillissait de l'amour des femmes « au point de faire des
galipettes dans les orties en leur compagnie »… Au-delà de l'anecdote,

Temps de préparation : 15 min.

- 100 g de penne
- 25 g d'orties fraîches
- Crème fraîche
- Parmesan
- Sel

l'ortie fraîche relève les penne
d'un petit goût de muscade très
subtil et la chaleur des pâtes suffit
à la rendre inoffensive au palais.

Plonger les penne dans une casserole d'eau bouillante salée et laisser
cuire le temps indiqué. Pendant ce temps, ciseler finement les feuilles d'ortie avec
un couteau (et non pas au robot), en prenant soin de les manipuler par le verso
afin qu'elles ne piquent pas. Égoutter les pâtes. Saler, ajouter un peu de crème et
de parmesan, puis incorporer les orties crues.

Variante
La recette s'adapte parfaitement avec des tortellini
à la ricotta.

Purée écossaise

Elle accompagne traditionnellement le haggis, cette panse de brebis farcie à la viande hachée (dont le nom provient, une fois n'est pas coutume, de notre monument national, le « hachis » parmentier), mais elle peut être parfaitement autonome. Outre sa fonction roborative, elle constitue en tant que telle une belle interprétation de votre état d'esprit du moment : seule et néanmoins savoureuse.

Temps de préparation : 30 min.

· 3 pommes de terre à chair ferme
· 2 navets
· 1 verre de lait
· 3 à 4 échalotes
· Huile d'olive
· Sel et poivre

Éplucher et couper en morceaux les pommes de terre et les navets. Les plonger dans une casserole d'eau bouillante salée et les cuire pendant environ 20 min. Pendant ce temps, émincer les échalotes et les faire revenir à la poêle dans un peu d'huile jusqu'à ce qu'elles soient bien dorées. Réserver. Faire chauffer le lait dans une grande casserole. Égoutter les pommes de terre et les navets, les plonger dans le lait chaud puis les écraser grossièrement à la fourchette. Saler, poivrer, ajouter les échalotes encore chaudes et un filet d'huile d'olive.

Gâteau aux pommes

Jean-Christophe est un ami. Il fut une icône du célibat, longtemps. Puis il y eut Anne, une tornade de sourires, de paroles, d'idées. Généreuse et drôle, elle a été kidnappée par Jean-Christophe pour aller vivre à l'autre bout du monde… Elle aura juste eu le temps de nous léguer une recette familiale qui lui ressemble. Simple, généreuse et inratable !

Temps de préparation : 20 min.

- 40 g de beurre
- 30 g de sucre en poudre
- 50 g de farine
- 1 œuf
- 1/2 c. à c. de levure chimique
- 2 pincées de cannelle en poudre
- 1 pincée de sel
- 1 pomme

Préchauffer le four à 180 °C. Faire fondre le beurre dans une casserole à feu doux. Retirer du feu et incorporer le sucre. Remuer jusqu'à ce que le sucre soit totalement dissous. Ajouter l'œuf, la farine, la levure chimique et le sel, de façon à obtenir une pâte homogène. Dans un petit plat rond, style moule à charlotte, déposer une couche de lamelles de pomme, verser la pâte, et recouvrir d'une autre couche de lamelles de pomme. Cuire au four 15 min. Se mange de préférence chaud ou tiède.

Le pain délice d'Yvonne

Pourquoi ne pas tenter la réunion de deux desserts bien connus : le principe de la tarte tatin sur la base d'un pain d'épices, qui s'accommode ici très bien de poires caramélisées en son sommet ? C'est une histoire de défi, et d'hommage aussi à ces liens qui traversent les âges autour de recettes transmises de génération en génération, puisque la recette du pain d'épices nous vient d'une bien-aimée grand-mère, qui aurait trouvé le croisement farfelu, mais culotté.

Temps de préparation : 1 h et 15 min.

- 1 poire bien mûre
- 7 morceaux de sucre blanc
- 250 g de farine complète
- 150 g de miel
- 100 g de sucre en poudre
- 1 c. à c. de bicarbonate de sodium
- 1 verre de lait
- 1 c. à c. d'anis vert en graines

Préchauffer le four à 150 °C. Faire chauffer dans un moule à cake les morceaux de sucre avec un peu d'eau (2 c. à s.) sur une plaque électrique ou au gaz, de manière à obtenir un caramel. Ne pas tourner à la cuillère : il suffit d'attendre que le sucre change de couleur et brunisse. Quand il est brun, retirer le moule du feu. Peler la poire, la couper en quartiers et disposer ceux-ci sur le caramel obtenu. Faire chauffer le lait. Mélanger la farine complète, le miel et le sucre en poudre en y incorporant le lait chaud, qui permettra d'obtenir une pâte épaisse et lisse. Ajouter le bicarbonate de sodium et l'anis vert, puis verser ce mélange dans le moule, par-dessus des poires. Cuire au four pendant 1 h, puis planter une lame de couteau pour vérifier si le pain d'épices est cuit à l'intérieur. Démouler à l'envers et servir tiède ou froid. Il se conserve très bien quelques jours et est encore meilleur le lendemain… s'il en reste.

Le plomb du Cantal

Si votre cœur a besoin d'être lesté par quelque chose de sain et de terrestre tout à la fois, cette merveille de porridge à la châtaigne vous remettra dans le droit chemin. Des flocons d'avoine et du lait : une image de ciment alimentaire, comme un couple solide et durable. Sans nostalgie aucune, abandonnez-vous de nouveau quelques secondes à cette idée…

Temps de préparation : 5 min.

- 5 c. à s. de flocons d'avoine
- 1/2 verre de lait
- 2 c. à s. de sucre en poudre
- Zeste râpé de 1/2 orange
- 5 amandes entières
- 4 noisettes
- 1 c. à c. de crème de marrons

Faire chauffer dans une casserole les flocons d'avoine et le lait, ajouter le sucre, le zeste de l'orange finement râpé, les amandes et les noisettes entières. Cuire en tournant quelques minutes jusqu'à obtenir la consistance souhaitée. Verser dans une assiette creuse et ajouter la crème de marrons.

Variante

Il est possible de remplacer la crème de marrons par une confiture, qui viendra, de la même manière, raviver cet effet de porridge.

Pain perdu aux pruneaux à l'armagnac

Pour en finir avec les chagrins d'amour qui vous rendent tout marshmallow, voici un valeureux dessert qui vous remet fissa d'aplomb et vous emplit d'allégresse. La pointe d'armagnac vous place dans une situation romanesque de mousquetaire prêt à en découdre (Milady, Portos, Athos, Aramis ou d'Artagnan). L'humour sauve de tout, et surtout de l'amour. Pensez-y.

Temps de préparation : 40 min.

- 2 tranches de pain
- 1 œuf
- 15 g de sucre en poudre
- 1 c. à s. de crème fraîche
- 25 cl de lait
- 1/2 sachet de sucre vanillé
- 3 ou 4 pruneaux
- 2 c. à c. d'armagnac
- Cassonade

Ouvrir des pruneaux moelleux en 2 et les faire macérer 15 min dans l'armagnac. Préchauffer le four à 180 °C. Dans un bol, mélanger l'œuf, le sucre et la crème fraîche. Faire chauffer le lait dans une casserole avec le sucre vanillé, puis laisser refroidir. Faire tremper le pain dans le lait sucré. Beurrer un moule à cake en le choisissant étroit pour que les tranches de pain soient bien calées et que le mélange crémeux ne se répande pas trop latéralement. Tasser le pain au fond du moule. Incorporer le lait vanillé au mélange du bol et verser le tout par-dessus le pain. Saupoudrer de la cassonade. Cuire au four pendant 30 min.

Les mariages qui durent

Ceux qui ne vous laisseront jamais tomber !

Les histoires d'amour finissent mal

Eh bien voilà. On n'a plus vraiment mal, mais on se sent quand même un peu patraque. Quelque chose se serait cassé, du genre le miroir aux alouettes, que ça ne vous étonnerait pas. Vous n'y croyez plus. Tous les contes de fées, tous les serments du genre « Jurez-vous fidélité et assistance jusqu'à ce que la mort vous sépare » prêtés avec un « oui » mielleux assorti d'un sourire béat et autres fadaises vous paraissent d'une telle niaiserie que vous devez faire un effort d'imagination pour vous rappeler que vous étiez dans ce bain jusqu'au cou. Et il n'y a pas si longtemps encore ! Les histoires d'amour, merci bien, vous avez donné. Ce que vous en retenez, c'est qu'il ne sert à rien de parier sur un cheval, bon ou mauvais : ils courent tous dans une direction qui n'est pas la vôtre.

Bref, totalement désabusé(e), désenchanté(e) même, vous avez décidé de placer votre vie sous le signe implacable de l'observation objective et froide. Brrr ! Mais abandonnez un peu la lecture de Beckett et de Houellebecq ! Si vous en êtes à l'étude du couple et de sa chute inéluctable, penchez-vous pareillement sur celui qui résiste. Vous avez bien quelques amis qui accumulent les années de vie

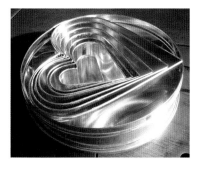

commune (et que vous évitez soigneusement depuis peu), non ? Si vous arguez qu'ils ne sont pas assez âgés pour être des exemples probants, vous pouvez tout de même remarquer dans votre entourage des petits vieux, mariés d'avant-guerre et encore solidement attachés l'un à l'autre. Et leurs raisons de rester ensemble ne sont certainement pas pour tous l'habitude, une bonne pension ou le viagra ! Vous-même reconnaissez qu'ils sont touchants et votre tout récent cœur de pierre n'est pas loin de se laisser attendrir.

Vous ne seriez pas tombé(e) si bas si vos espoirs n'avaient été placés si haut, et ce serait peut-être vous renier que d'affirmer si obstinément votre toute nouvelle vérité. Tout ça pour ne pas vous attacher et être sûr(e) de ne plus être blessé(e). C'est signe de faiblesse, et bon signe — pour cette même raison — de votre capacité d'amour. Un amour qui a peur de s'engager encore. Mais vous n'en n'êtes pas encore là, vous ne cherchez que l'aventure avec un tout petit « a », juste le frisson ou la passion éclair, et vous gardez votre petit cœur fragile au chaud : il en a bavé. En attendant, quelques séances de visionnage de grands mélos qui finissent mal vous feront pleurer un peu, et vous retrouverez avec reconnaissance ceux qui finissent bien !

Cette étape est importante, puisqu'elle consiste à vous rappeler qu'une bataille n'est pas la guerre, que les échecs peuvent être transformés en réussites, que les obstacles sont parfois de bons marchepieds. Voici une série de recettes qui prouvent qu'il reste encore et toujours des valeurs sûres.

Un jour, mon prince viendra…

La cuisine du placard
Le réfrigérateur d'un récent célibataire est souvent comme sa vie, vous l'aurez sans doute remarqué : à moitié déserté. Tant mieux, c'est un bon exercice pour positiver ! Interdisez-vous les soupirs, les regrets et les reproches, et inventez-vous un petit plat à partir des quelques rogatons. Apprendre à faire avec ce qu'il y a (et non avec ce qu'il n'y a plus), n'est-ce pas là votre nouveau défi ?

La femme à la bûche
Vous souvenez-vous, dans le film *Twin Peaks* de David Lynch, de cette « femme à la bûche » sans rapport avec l'histoire, qui traverse néanmoins de nombreuses scènes ? Il semblerait qu'elle n'ait d'autre objectif que d'affirmer sa présence, sans souci du décalage. Et si vous en faisiez votre modèle ? Vous qui traversez un désert, tentez de vivre bénéfiquement cette période de décalage sans autre véritable objectif que d'assurer votre présence parmi les autres. Ce serait déjà bien.

Plaisanterie
Les plaisanteries les plus courtes sont souvent les meilleures, alors pourquoi n'en serait-il pas de même pour les histoires d'amour ?

Le destin

Cette histoire a commencé comme un conte de fées et s'achève comme un mauvais feuilleton de série B. B comme beurk… à vous couper l'appétit. Et si vous vous replongiez dans les livres ou les films qui vous ont fait chavirer le cœur, avec ces couples mythiques comme Antoine et Cléopâtre, Tristan et Iseult, Humphrey Bogart et Lauren Bacall, Demi Moore et Bruce Willis, histoire de mettre à distance votre propre histoire en panne de scénario ?

Proverbes

Durant toute une journée, essayez d'invoquer toute une série de proverbes qui vous passent par la tête (connus ou inventés) pour trouver votre situation enviable : « Un de perdu, dix de retrouvés », « À l'impossible, nul n'est tenu », « Trop de cuisiniers gâte le bouillon », « L'enfer est pavé de bonnes intentions »… C'est déjà plus drôle, non ?

Noces d'or

Vos grands-parents ont décroché la timbale d'or et vos parents sont bien partis pour en faire autant ? Bon. Mais la vie de couple, au-delà de sa merveilleuse longévité, n'est pas une compétition : c'est ce qui pourrait aujourd'hui vous consoler. Or, argent ou coton, ce n'est pas ce qui vous dira où vous irez passer vos vacances l'été prochain, alors relativisez.

Un fromage & un vin

Aller au plus simple et au plus vite pour vous faire plaisir ? Un fromage et son meilleur vin pour l'accompagner, comme un couple qui vous comble de son indéfectible complicité, aussi solide et sûr que l'œuf et l'huile sont faits pour la mayonnaise. « Seulement, la mayonnaise, ça prend où ça ne prend pas », avait commenté une prof de français au terme de l'étude d'une fable de La Fontaine (« Deux pigeons s'aimaient d'amour tendre… »). Opter pour le mariage vin-fromage, en revanche, c'est limiter les risques et c'est du 100 % sûr jusqu'à la fin de vos jours ! Voici les associations que l'on vous recommande d'essayer (les yeux fermés).

· Le chaource crémeux s'associe merveilleusement au bourgogne blanc et à quelques noisettes fraîches.

· Tout fromage de chèvre trouvera un bel écho avec un sancerre, une note de miel et quelques amandes grillées.

· Un camembert, au lait cru et moulé à la louche (s'il vous plaît), se révélera pleinement avec un vin d'Anjou.

· La puissance et la densité du beaufort réclame un artois blanc.

· Le roquefort et le sauternes forment une divine alliance.

· Une brique de brebis est parfaite pour trinquer avec un vouvray sec, et s'accompagne aussi agréablement d'un peu de gelée de groseille.

Minisandwichs & bloody mary

Une vraie faim, mais comme une envie de picorer quand même, pour ne pas perdre ses récentes habitudes de moineau ? Pour éviter de traîner dans le salon un vilain sandwich qui bave (ou qui va baver, c'est sûr), pourquoi ne pas le préparer en bouchées, pour pouvoir, de l'autre main, tenir un verre tonique et nourrissant, à siroter en toute décontraction ?

Pour les sandwichs

· 6 tranches de pain de mie
· 2 tranches de jambon blanc
· 1 grosse tomate
· 4 grandes feuilles de salade
· 2 lamelles de fromage
· Fromage frais
· Moutarde
· Sel et poivre
· Piques en bois ou cure-dents

Pour le bloody mary

· 2 glaçons
· 1/4 de verre de vodka
· 3/4 de verre de jus de tomate
· 1 trait de jus de citron
· Quelques gouttes de Worcestershire sauce
· Tabasco
· Sel au céleri

Temps de préparation : 10 min.

Couper la tomate en rondelles. Toaster les tranches de pain de mie au grille-pain. En tartiner 4 tranches de fromage frais ; saler et poivrer. En tartiner 2 autres de moutarde sur les 2 faces. Superposer 1 pain au fromage, 2 feuilles de salade, 1 lamelle de fromage, 1/2 tranche chiffonnée de jambon, 1 pain à la moutarde, encore 1/2 tranche de jambon, des rondelles de tomate et le dernier pain au fromage. Planter 4 cure-dents, trancher les bords du sandwich et le couper en 4. Verser dans un grand verre tous les ingrédients du cocktail, mélanger et déguster.

Tartine au pesto & lambrusco

Une véritable gourmandise à se faire juste pour soi, pour pouvoir se lécher les doigts sans éprouver la moindre gêne, car il est entendu qu'elle tue le plaisir... Un pesto à confectionner soi-même, pour un parfum plus puissant et une texture moins huileuse que dans les préparations industrielles. Son mariage avec le lambrusco sec, vin rouge italien vif, pétillant et sans prétention, vous ravira sans trop vous enivrer (environ 10,5° d'alcool).

Temps de préparation : 15 min.

- 2 c. à s. de pignons de pin
- 2 c. à s. de parmesan râpé
- 1 gousse d'ail
- 3 c. à s. de basilic haché
- 1 c. à s. d'huile d'olive
- 10 tomates confites
- 10 fines tranches de baguette
- 10 copeaux de parmesan

Faire dorer sur une face les tranches de pain en les passant pendant 2 min sous le gril. Mixer les pignons, le parmesan râpé, le basilic, l'ail et l'huile d'olive. Tartiner le pesto obtenu sur chaque tranche de pain, poser une tomate et un copeau de parmesan. À grignoter avec un verre de lambrusco sec. Ah !... le bonheur, enfin !

Poulet au chutney & piña colada

Souvenir d'une phrase inoubliable entendue dans un train entre Mumbai et Kochi, en Inde : « Bien sûr, les mariages sont arrangés. L'amour, ce n'est que pour le cinéma ! » Et par procuration, ça fonctionne ? Alors, c'est le moment de se plonger dans l'univers de Bollywood, de se faire une cure d'histoires d'amour où battements de cils et chorégraphies kitschissimes nous consolent d'être seuls sous la couverture. Avec un plateau-repas directement inspiré de là-bas.

Pour les rouleaux de poulet

· 200 g de filets de poulet
· 100 g de chutney pimenté
· 2 fines tranches de jambon cru
· 10 g de beurre fondu
· Feuilles de salade
· Piques en bois ou cure-dents

Pour la piña colada

· 2 glaçons
· 2/10 de verre de rhum blanc
· 1/10 de verre de lait de coco
· 1/10 de verre de crème liquide
· 6/10 de jus d'ananas

Temps de préparation : 20 min.

Préchauffer le four à 180 °C. Débiter les filets de poulet en fines lamelles. Poser dessus une lamelle de jambon et tartiner de chutney. Rouler et faire tenir par une pique en bois. Faire fondre le beurre avec 1 c. à c. de chutney et en badigeonner les rouleaux obtenus. Déposer sur une plaque et laisser cuire au four pendant 15 min, en badigeonnant de chutney à mi-cuisson. Pendant ce temps, verser tous les ingrédients du cocktail dans un shaker et secouer vigoureusement (le jus d'ananas, ça mousse !). Verser dans un grand verre et déguster bien frais, avec les rouleaux de poulet chauds et quelques feuilles de salade.

Canapés pour canapé & mojito

Lorsqu'on est seul, le salon se retrouve soit déserté (au profit d'un coin de cuisine ou de bureau), soit transformé en chambre à coucher (avec la télévision qui fait de la neige). Il est temps de se réapproprier son espace et de bouquiner sur le canapé. Pour fêter l'événement, un petit plateau d'amuse-gueules légers et rafraîchissants, parfaitement snobs, mais avec trois fois rien.

Pour les canapés

- 1 concombre
- 1 petite boîte de thon
- 1 c. à s. de fromage frais
- 2 c. à s. de moutarde
- 1 c. à s. de ciboulette ciselée
- 1 c. à s. de persil haché
- 1 c. à c. de jus de citron
- 6 olives noires
- 1/2 poivron rouge
- Sel

Pour le mojito

- Glace pilée
- 3/4 de verre de rhum blanc
- 2 traits de jus de citron
- 1 c. à c. de sucre en poudre
- 5 à 7 feuilles de menthe fraîche

Temps de préparation : 10 min.

Trancher le concombre en rondelles d'1/2 cm. Saler, laisser dégorger 15 min puis rincer et bien essuyer. Mélanger dans une jatte le thon égoutté, le fromage frais, la moutarde et le jus de citron. Séparer en 2 la pâte obtenue et la répartir dans 2 bols. Dans une moitié, incorporer les olives noires hachées et la ciboulette. Dans l'autre, mélanger le poivron haché et le persil. Déposer une noix de préparation sur chaque tranche de concombre. Dans un verre solide, écraser au pilon les feuilles de menthe additionnées du sucre et du jus de citron. Remplir à moitié de glace pilée et ajouter le rhum.

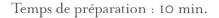

Feuilleté de munster & verre de bière

C'est l'opération « simple comme bonjour » qui prend d'emblée le contre-pied de « pas simple, donc au revoir ». Non, définitivement la vie n'est et ne sera jamais ce fleuve tranquille, mais un sentier semé d'embûches et ponctué d'embranchements multiples. Alors, siroter votre bière en espérant, tel Starsky, le héros de votre enfance (à moins que ça ne soit McGyver), bien négocier le prochain virage, tel est votre objectif à court terme…

Temps de préparation : 15 min.
- 1 pâte feuilletée toute prête
- 1 munster
- Quelques graines de cumin
- 1 jaune d'œuf
- 1 bière

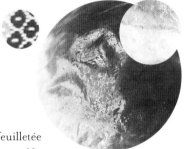

Préchauffer le four à 220 °C. Étaler la pâte feuilletée sur un moule à tarte, en conservant le papier sulfurisé fourni, et la couper en 2 parts égales.

Découper le munster dans l'épaisseur de façon à obtenir 2 ronds de fromage. Disposer chaque rond sur une moitié de pâte et parsemer de graines de cumin. Replier la pâte par-dessus pour former des chaussons. Bien presser les bords. Badigeonner d'un peu de jaune d'œuf. Cuire au four une bonne dizaine de minutes et déguster avec une bière fraîche.

Tartare de sardine
& Campari-pamplemousse

C'est l'apéro des beaux jours, de quoi sortir de votre léthargie qui ne vous mène franchement nulle part. À une époque, surgissait de votre écran de télé une sorte de cow-boy des temps modernes qui disait, en montant sur sa moto (version citadine) ou son tracteur (version agricole), « Mars et ça repart », en déchiquetant une barre chocolatée, le visage hilare. Effet placebo ? Dites-vous que le Campari-pamplemousse et ces petits toasts à la sardine vous feront le même effet !

Pour le tartare

· 1 boîte de sardines à l'huile d'olive
· 1/2 citron
· 1 c. à c. de moutarde à l'ancienne
· 2 c. à c. de crème fraîche
· Persil
· Sel et poivre

Pour le cocktail

· 1/3 de verre de Campari
· 2/3 de verre de jus de pamplemousse
· Glaçons

Temps de préparation : 10 min.

Ouvrir la boîte de sardines et retirer l'arête centrale de tous les poissons. Dans un bol, mélanger le jus du citron, la crème fraîche et la moutarde. Ajouter les sardines grossièrement hachées. Ciseler le persil et l'incorporer. Saler et poivrer. Verser les ingrédients du cocktail dans un grand verre, mélanger et déguster bien frais.

Variante

Le jus de pamplemousse peut être remplacé par du jus d'orange, même si notre préférence penche inconditionnellement pour le pamplemousse.

Samossas & infusion de gingembre

Se mettre aux proportions individuelles, ce n'est pas si simple, surtout quand on a, en sus, l'appétit en berne. Il est donc probable que vous entamiez une collection de restes. Mais de là à attendre qu'ils soient verts pour les sortir du réfrigérateur… Non, il existe d'autres alternatives, dont cette recette. Accompagnés de cette puissante boisson (sans alcool, si si !), ces samossas vont vous permettre de recycler vos vieilles vessies en magnifiques lanternes.

Pour les samossas

- 5 feuilles de brick
- 15 g de beurre fondu
- 125 g de viande hachée
- 1/2 oignon
- 2 c. à s. de sauce tomate
- 1 gousse d'ail
- Feuilles de salade

Pour 1 l d'infusion

- 150 g de gingembre frais
- 2 clous de girofle
- Jus de citron

Temps : 20 min + refroidissement.

Pour préparer à l'avance l'infusion, éplucher le gingembre, le râper ou le mixer, le mettre dans une casserole et le recouvrir de 1 l d'eau froide. Ajouter 2 clous de girofle et porter à ébullition. Laisser cuire à feu doux pendant 10 min. Hors du feu, ajouter quelques gouttes de jus de citron et laisser infuser jusqu'à total refroidissement. Filtrer et conserver au frais. Pour les samossas, réchauffer le four à 175 °C. Faire sauter l'oignon, la viande et l'ail puis ajouter la sauce tomate. Couper les feuilles de brick en bandes de 8 cm de large. Poser 1 noix de hachis sur une bande, la replier en triangle et badigeonner de beurre fondu. Procéder de la sorte avec le reste de farce. Cuire au four pendant 12 min. Servir avec quelques feuilles de salade et l'infusion bien fraîche.

Variante : les ingrédients de la farce peuvent être remplacés par des restes de fromage, de plats en sauce, de garniture, de viande cuisinée, etc.

Je deviens quelqu'un d'autre

Plaisirs toxiques

Champagne !

Rien n'est plus contraignant que la sage image que les gens ont de vous. Depuis le temps, vous en avez assez du regard plein de sollicitude de vos amis, de cette main posée sur l'épaule et de ce visage où flotte ce sourire apaisé sur un front plissé : « Alors, toi ? Comment ça va ? » Et vous d'affirmer vigoureusement « Super bien ! » (et ils se disent que vous en faites trop) ou sobrement « Bien. Et toi ? » (on prétend alors que vous êtes pudique). C'est rageant et vous avez besoin d'être tranquille, de voir des gens qui ne vous connaissent que « sans ».

Est arrivé le temps de brouiller les cartes : maître du jeu, vous décidez de sortir le grand. Cette phase répond à une mise à l'épreuve de soi comme pur challenge, un défi lancé à la vie plutôt qu'une bouteille à la mer.

Même la perception que vous aviez de vous vous emprisonne : vous vous sentiez engoncé(e), gêné(e) aux entournures, comme si le costume que vous portiez était hors d'âge. Voyez les choses en grand et différemment, c'est ce qui pourra définitivement vous sortir de ce mauvais tour de passe-passe. Le changement de coiffure, de lunettes ou de n'importe quel accessoire qui participe de votre identité

aux yeux des autres, voilà le déclic qui pourrait bien changer votre regard sur le monde et réciproquement.

Culotté(e), vous vous permettez tout et inventez des scénarios romanesques, comme vous envoyer des fleurs au bureau (oui, surtout vous, messieurs), rien que pour faire jaser, ou parler autour de vous du fameux orgasme au chocolat (mais oui, ça existe, p. 132), et vous commencez ainsi à instiller le doute.

Vous écrivez votre histoire avec des épisodes palpitants, du suspens ; vous faites entrer le panache dans votre vie. Vous jouez le jeu de l'irrésistible qui pétille comme le champagne, et faites trembler la souris qui tombe à l'improviste entre vos pattes. Et enfin, vous invitez cette connaissance qui vous couve des yeux depuis des mois sans que ni l'un ni l'autre

n'ait pris la décision de se lancer dans un tête-à-tête, alors que ça n'engage qu'à passer une soirée délicieuse à discuter à bâtons rompus avec une personne qui s'intéresse au sujet… Il est entendu que vous n'êtes pas le centre de l'univers (enfin, pas encore), mais le Destin vous attend au coin de la rue ; il existe mille et une manières de le provoquer.

Nous vous proposons ici d'élargir le spectre de vos possibilités. Ce n'est pas parce que vous vous retapez le moral qu'il faut forcément n'utiliser que les pièces d'origine. Les recettes de ce chapitre sont toutes détournées, épicées ou alcoolisées, histoire de souffler le quotidien.

C'est vous le chef !

Toutes les premières fois

La fin d'une histoire est toujours un peu vertigineuse, mais combien libératrice, aussi. Osez tout ce que vous n'avez jamais osé faire jusqu'alors, dans la catégorie « transgressions permises » : dîner au champagne, fumer le cigare, vous faire tatouer, vous initier à l'œnologie, au chant lyrique ou à la boxe française… Soyez là où l'on ne vous attend pas : vous n'avez plus rien à perdre, mais tout à gagner.

Faire de sa vie une œuvre d'art

Et si vous décidiez de ne pas partir en voyage et d'acheter une œuvre d'art à la place ? L'art, c'est une bien meilleure idée ! En vous rappelant cette phrase éclairante de Robert Filliou : « L'art, c'est ce qui rend la vie plus intéressante que l'art. »

Santé = beauté

Vous n'êtes pas encore vraiment dans votre assiette, mais vous pressentez que vous pouvez l'être bientôt, de nouveau. « Comptez sur vos propres forces », aurait recommandé le Grand Timonier… Vos ressources ? Elles sont en vous, et se réveilleront dès que vous aurez à cœur de les développer : une nouvelle couleur pour vos cheveux, une huile de bain, un nouveau shampoing jamais testé, un hammam en plein hiver, un gommage à l'institut de beauté. D'abord pour vous. Et ensuite pour les autres.

Force de conviction

Pour assouvir vos nouvelles passions et vos désirs tout neufs, vous manquez de moyens ? C'est l'occasion rêvée de demander une augmentation à votre patron, d'affirmer votre profil de gagnant(e)-sur-toute-la-ligne. Qui ne tente rien n'a rien, alors prenez-en de la graine.

Casino

Et si vous provoquiez un peu le destin au lieu de vous lamenter sur ce train qui n'en finit pas de dérailler ? Allez jouer 60 euros un soir au casino, et vous verrez bien d'où le vent vient. Pile ou face, rouge ou noir, abandonnez-vous au plus grand des hasards.

Mer ou montagne, pourquoi choisir ?

« Si vous n'aimez pas la mer, si vous n'aimez pas la montagne, si vous n'aimez pas la campagne, eh bien allez-vous faire foutre ! » affirmait Belmondo dans le film *À bout de souffle* de Jean-Luc Godard…. À bien y réfléchir, qu'aimez-vous réellement ? Et si vous tentiez autre chose ? La cordillère des Andes et Méribel, l'île de Sein et les Maldives, la Creuse et l'Ukraine, le Maroc et Cuba ? En faisant tourner le globe terrestre, jouez au hasard du doigt qui tombe et s'arrête sur un pays, et lancez-vous dans l'aventure de territoires inconnus.

Crevettes au whisky

Sans sortir la grosse artillerie en cuisine, vous pouvez faire et obtenir des miracles, comme ce bienheureux mariage de l'alcool avec quelques jolies demoiselles des bords de mer. En bouche, on vous le promet, une presque parfaite félicité. « Mille milliards de mille sabords », aurait certainement lâché Haddock !

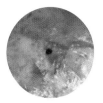

Temps de préparation : 10 min.

• 150 g de crevettes crues
• 2 c. à s. de whisky
• Huile de friture
• Sel et poivre

Faire chauffer une poêle à feu vif. Y faire revenir les crevettes entières pendant 3 à 4 min, jusqu'à ce qu'elles changent de couleur. Au dernier moment, verser le whisky et laisser évaporer l'alcool quelques secondes, puis craquer une allumette et l'approcher de la poêle en prenant garde à la hauteur de la flamme que cela peut produire (jusqu'à 50 cm, donc attention aux hottes aspirantes)… Saler, poivrer, c'est prêt.

Salade de caractère

Pour vous sortir des idées toutes faites, des codes traditionnellement admis et des rôles préétablis, rien de tel que de bousculer les habitudes ! En abandonnant la laitue par exemple, définitivement sans surprise, pour utiliser le persil plat en salade… Soyez là où l'on ne vous attend pas. Surprenez-vous d'abord vous-même à faire de tels changements.

Temps de préparation : 10 min.

- 1 bouquet de persil plat (environ 100 g)
- 1 mozzarella di Buffala
- 1 petit pot de tapenade verte
- 4 ou 5 filets d'anchois
- 1 c. à s. de vinaigre de cidre (ou de bon vinaigre de vin)
- 2 c. à s. d'huile de tournesol
- Sel et poivre

Laver et sécher le persil. Couper les tiges pour ne conserver que les feuilles. Disposer le persil dans une assiette. L'arroser de vinaigre et d'huile. Couper quelques tranches de mozzarella. Les recouvrir d'une fine couche de tapenade verte, puis disposer les filets d'anchois par-dessus et déguster avec la salade.

Note

Éviter d'utiliser une huile d'olive à la place de l'huile de tournesol, car elle aura tendance à supplanter le goût du vinaigre. On peut remplacer la tapenade verte par de la tapenade noire, mais attention à ne pas en abuser : son goût plus prononcé écraserait celui du persil plat.

Homard flambé au pastis

Aux grands maux les grands remèdes… Remisez vos surgelés et faites un tour au marché pour une vraie rencontre avec l'un des candidats du vivier de votre cher poissonnier. C'est une petite fortune, mais, après tout, vous l'êtes-vous jamais permis alors que vous étiez encore en couple ? Non. Alors, réparez l'erreur, et jouez les gourmets voraces piqués par le vice de la gourmandise. C'est sans regret. D'ailleurs non, vous ne regrettez rien, hein ?

Temps de préparation : 20 min.

- 1 homard vivant
- 10 g de beurre salé
- 3 c. à s. de pastis
- Quelques pluches de fenouil
- Sel et poivre

Préchauffer le four à 265 °C. Couper le homard encore vivant dans le sens de la longueur et ôter la poche de gravier. Poser dans un grand plat allant au four, côté chair en haut. Couvrir de pluches de fenouil et de petits cubes de beurre, puis cuire au four pendant 7 min. Faire chauffer le pastis dans une casserole puis le verser sur le homard juste à la sortie du four, et approcher une allumette pour le flamber.

Note

Pour faciliter la découpe, mettre le homard pendant 30 min au congélateur pour l'anesthésier ou le plonger quelques minutes dans l'eau bouillante pour mettre un terme à sa vie, puis suivre de nouveau la recette en diminuant le temps de cuisson au four.

Rösti coréens

Vous en avez soupé de la pomme de terre, vous la connaissez par cœur, vous ne pouvez plus la voir en peinture, et rien que d'y penser vous auriez presque envie de poursuivre votre jeûne. Mais la faim vous taraude et il ne reste que ça de comestible dans vos placards… *Anyong !** **Voici une version coréenne qui vous rafraîchira les idées question tubercule et vous réchauffera la bouche. Attention, aficionados de cuisine franco-française s'abstenir.**

* Salut !

Pour les rösti

- 250 g de pommes de terre
- 1 oignon
- 1 œuf
- 1 c. à s. de Maïzena
- 2 c. à s. d'huile
- Sel et poivre

Pour la sauce

- 1 c. à c. de graines de sésame blanches
- 1 gousse d'ail
- 1 oignon nouveau
- 2 c. à s. de sauce soja coréenne
- 1/2 c. à s. de mirin (vin de riz coréen)
- 1/2 c. à s. d'huile de sésame
- 1 c. à c. de sucre en poudre
- 1/2 c. à c. de piment rouge frais

Temps de préparation : 40 min.

Faire griller à sec les graines de sésame dans une petite poêle, jusqu'à ce qu'elles soient dorées. Attention, ça peut aller très vite ! Les laisser refroidir 5 min dans un bol. Hacher finement l'ail et le piment. Émincer l'oignon nouveau en très fines lamelles. Ajouter dans le bol le sucre, la sauce soja, le mirin, l'huile de sésame, l'ail, l'oignon nouveau et le piment. Réserver en saucière ou dans un petit bol de service. Hacher finement l'oignon. Laver, peler les pommes de terre et les râper à grille moyenne. Dans une jatte, fouetter l'œuf et la Maïzena. Lorsque le mélange est homogène, ajouter l'oignon et les pommes de terre. Saler et poivrer. Dans une grande poêle, faire chauffer l'huile à feu vif (mais pas trop, sinon les

rösti seraient brûlés et mal cuits à cœur). Déposer une grosse c. à s. de pomme de terre et l'aplatir doucement comme pour faire une crêpe. Faire dorer 2 à 3 min, puis retourner à l'aide d'une spatule et laisser cuire encore 2 min. Cuire les rösti tous ensemble si la taille de la poêle le permet, sinon tour à tour. Servir très chaud avec une salade verte nature, à tremper dans la sauce d'accompagnement.

Risotto à la sauge

Il existe autant de recettes de risotto qu'il y a d'Italiens, mais est évoquée ici la magnifique Grazia, à la fois douce et indomptable, dans *Respiro,* le film de Emanuele Crialese. Tout comme elle, voilà un plat simple mais indocile, qui nous fait prendre la clef des champs : la sauge, poivrée et puissante, le jambon salé et croustillant, les épices qui enivrent les sens et le riz en crème onctueuse. Une recette à adopter, et un film à (re)voir.

Temps de préparation : 30 min.

- 60 g de riz rond italien
- 1/2 oignon
- 10 g de parmesan en copeaux
- 2 tranches fines de jambon cru
- 10 feuilles de sauge
- 25 cl de bouillon de légumes (ou de volaille)
- 20 g de beurre
- 2 c. à s. d'huile d'olive douce
- 1 bonne pincée de noix muscade fraîchement râpée
- Sel et poivre

Monter à ébullition le bouillon dans une casserole avec 3 feuilles de sauge et la noix muscade. Éteindre le feu et laisser infuser. Peler et hacher finement le demi-oignon. Le faire revenir dans 5 g de beurre à feu doux jusqu'à ce qu'il devienne translucide. Ajouter le riz et remuer sans cesse jusqu'à ce qu'il blondisse. Verser la moitié du bouillon à la sauge, sans cesser de remuer. Lorsque le riz a tout absorbé, verser le reste de l'infusion et continuer de remuer jusqu'à absorption complète. Ajouter le reste du beurre, saler, poivrer et remuer. Dans une grande poêle, chauffer l'huile d'olive et faire frire les tranches de jambon. Les égoutter et, dans la même huile, faire frire les feuilles de sauge restantes. Servir le risotto avec les copeaux de parmesan, le jambon et les feuilles de sauge croustillantes en garniture.

Tortellinis en colère

Rappelez-vous le courroux des belles Italiennes enflammées, découvrant incidemment le pot aux roses qui flanque leur vie de couple par terre (Anna Magnani, Sophia Loren, Monica Bellucci…), et autorisez-vous, comme elles, à ne pas griller les étapes de la colère. En optant pour l'élégance et la figure de style en cuisine !

Temps de préparation : 20 min.

· 125 g de tortellinis
· 3 belles tomates bien mûres
· 1 petit oignon
· 1 gousse d'ail
· 1 ou 2 petits piments rouges frais
· 1 brin de thym frais
· 2 c. à s. d'huile d'olive
· 1 branche de basilic
· Quelques copeaux de parmesan
· Sel et poivre

Laver les tomates, le basilic, le thym et le(s) piment(s). Épépiner les tomates et les couper en petits dés. Peler et couper l'oignon en lamelles. Hacher très finement l'ail et le piment (attention, mettre des gants). Dans une poêle, faire chauffer l'huile d'olive et faire

revenir l'oignon et le piment pendant 3 min, jusqu'à ce que l'oignon soit légèrement doré et translucide. Ajouter les tomates, le thym et l'ail. Saler et poivrer, laisser cuire 10 min à couvert. Pendant ce temps, faire cuire les tortellinis dans une grosse quantité d'eau bouillante salée. Servir les tortellinis nappés de sauce et garnis de basilic ciselé et de copeaux de parmesan.

Melon glacé au sirop de gingembre

Le soleil est à son zénith, vos volets sont clos sur un estomac serré et un cœur brisé ; vous réclamez une morsure douce, du sucre et du poison avant de sombrer dans une sieste qui restera malheureusement bien sage. Un dessert qui se prémédite pour avoir le plaisir d'être fouetté par la fraîcheur du fruit et envoûté par la chaleur des épices.

Temps de préparation : 20 min.

- 1/2 melon
- 5 g de gingembre frais
- 30 g de sucre en poudre
- 1/2 bâton de cannelle

La veille, placer le melon au réfrigérateur. Le jour même, peler et hacher le gingembre. Le mettre dans une casserole avec la cannelle et 10 cl d'eau. Porter à ébullition et laisser cuire jusqu'à obtenir un sirop.

Pendant ce temps, ouvrir et épépiner le melon. À l'aide d'une cuillère parisienne, confectionner des boules de melon. Mettre les boules dans un saladier et napper du sirop débarrassé du bâton de cannelle. Remuer délicatement, et mettre au congélateur pendant 15 min. Remuer et remettre au congélateur encore 15 min, puis déguster.

Soupe de fruits rouges à la vodka

C'est aussi rapide qu'un tour de magie (sans que personne ne vous oblige à aimer les tours de magie, d'ailleurs). Une manière, aussi, d'écouler la bouteille de vodka qui attend son heure au fond du congélateur. La vôtre est peut-être arrivée : levez votre verre en vous souhaitant, comme Desproges, qui excellait dans l'art du direct sans hypocrisie, « Bonne année mon cul ! ».

Temps de préparation : 5 min.

· Mélange de fruits rouges (framboises, myrtilles, cassis, fraises, groseilles, etc.)
· Vodka parfumée
· Sucre glace

Dans une coupe, placer les fruits rouges et verser la vodka sans noyer les fruits. Saupoudrer légèrement les fruits de sucre glace. Déguster aussitôt.

Orgasme au chocolat

C'est un tour de force : le point culminant du plaisir par le chocolat et ses précieux acolytes, poivre et gingembre, aux effets actifs en deux temps. Le gingembre, d'abord, réveille et excite les papilles, tandis que le poivre maintient ensuite une sorte de feu intérieur plus que troublant…

Temps de préparation : 30 min.

- 50 g de chocolat très noir
- 20 g de beurre
- 15 g de farine
- 1 œuf
- 1 c. à s. de lait
- 1 c. à c. de gingembre frais haché
- 1/2 c. à c. de poivre noir fraîchement moulu
- Sucre en poudre
- Sel

Préchauffer le four à 220 °C. Beurrer et sucrer un petit ramequin et le réserver au réfrigérateur. Dans une petite casserole, faire fondre doucement le beurre et le chocolat coupé en petits morceaux, exceptés 4 carrés, que l'on réservera. Bien mélanger et laisser tiédir. Monter le blanc en neige. Dans une jatte, faire mousser le jaune d'œuf et 1 c. à c. bombée de sucre jusqu'à blanchiment du mélange. Ajouter le lait, la farine tamisée et 1 pincée de sel, puis le chocolat fondu. Incorporer délicatement le blanc d'œuf monté en neige. Faire chauffer 6 cl d'eau, le gingembre et le poivre et 1 c. à s. de sucre dans une petite casserole. Laisser réduire jusqu'à obtenir un sirop. Hors du feu, lorsque le sirop aura un peu refroidi, ajouter 4 carrés de chocolat et mélanger jusqu'à ce que le mélange soit homogène. Au besoin, remettre sur feu doux pour bien faire fondre le chocolat. Attention de ne pas mettre le chocolat dans un sirop trop chaud, il brûlerait. Verser la moitié de l'appareil dans un ramequin. Verser délicatement le sirop aux épices de façon qu'il demeure au centre du ramequin, puis couvrir du reste de l'appareil. Cuire au four pendant 10 min, jusqu'à ce que la surface du fondant commence à craqueler. Se déguste tiède.

Fruits rôtis au cognac

C'est l'histoire des fins de bouteille qu'il vous faut liquider tout(e) seul(e), alors autant y prendre du plaisir et fondre doucement dans une ivresse fruitée et légèrement sucrée (notre amie Anne, elle connaît). Quelques fruits de saison bien juteux feront l'affaire et, associés à l'alcool, révéleront leurs lents mais puissants effets amnésiques (qui ne sont pas pour vous déplaire). Car justement : la question n'est-elle pas aussi, basiquement, d'oublier ?

Temps de préparation : 15 min.

- Nectarines, pêches, abricots, prunes ou figues (au choix, il faut que les fruits soient juteux)
- 3 c. à s. de cognac
- 2 c. à c. de pignons de pin
- 2 c. à c. de sucre brun (cassonade)

Laver et couper les fruits en 2. Les placer dans un petit moule à gratin. Verser le cognac, puis saupoudrer de sucre et parsemer de pignons de pin. Faire cuire de 7 à 10 min au four positionné en fonction gril. Se déguste tiède ou encore bien chaud, avec une boule de glace à la vanille en supplément pour les gourmands.

Je veux une tonne d'amour

Douceurs exquises

Le beurre et l'argent du beurre

Cette petite mort n'en était pas une, vous êtes libre, enfin ! Vous sentez la pulsation au creux de votre gorge, et pas seulement à cause de la course pour rattraper le bus, mais parce que vous souriez à la vie et qu'elle vous le rend bien. Le cœur balbutiant et plein d'espoir, vous avez fait le tour des liaisons volatiles et rêvez d'une authentique passion.

Vous n'avez plus envie de consacrer du temps à ces petits rigolos emplis d'arrogance et de vide intersidéral. Vous seriez presque amoureux/se de l'amour. Bref, vous êtes prêt(e) à recommencer la grande boucle, mais avec qui et comment ? Fini de jouer, tout le monde met cartes sur table…

Vous vous connaissez encore bien mieux aujourd'hui, et les épreuves passées vous ont permis de tirer de graves conclusions et de grandes résolutions : vous savez ce que vous voulez, et surtout, ce que vous ne voulez pas. Cette liberté chèrement retrouvée ne sera pas bradée contre une bouillotte vivante, vous voulez de l'amour avec un grand A, mais pas au prix de compromis avec un gros C…

Les quelques excès curatifs que vous avez conservés de votre reconstruction vous ont engagé(e) sur un chemin neuf où la déraison et la démesure tempèrent votre soif de vie casanière. Sage, vous ne l'êtes plus, alors vous avez décidé de ne pas vous préoccuper des contraintes. Pourquoi choisir entre la crème et le beurre ? Entre votre fidèle matou et ce joli chiot qui vous tend les pattes ? Et pourquoi ne pas craquer aussi pour cet hypnotisant poisson combattant ? Aujourd'hui ne sera plus, et qui sait si vous pourrez encore profiter de ce beau soleil si vous ne pique-niquez pas tout de suite sur le toit de votre bureau ? Deux collants super-posés au lieu d'un seul, c'est chic, c'est sport, c'est possible. Les cheveux courts d'un côté et longs de l'autre, ça donne

du style. Une tarte tatin et un pain d'épice réunis dans le même plat, ça s'est vu (p. 82). Quant au grand amour, puisqu'il est long à la détente, pourquoi se priver d'en butiner des substituts par-ci, par-là, en attendant ? Mais… du bout des lèvres seulement : le cœur est déjà promis.

Cette dernière étape est la plus délicate, parce que vous êtes guéri(e), mais quasiment prêt(e) à vous jeter dans le premier guet-apens venu… Les recettes de ce chapitre combleront de douceur votre irrépressible besoin de tendresse.

Parce que je le vaux bien

Le choc du chocolat
Vous connaissez bien vos
faiblesses, alors, cette fois-ci, foncez
chez le pâtissier ou le chocolatier du
quartier et faites le stock de magnésium.
On a autant besoin que le p'tit lapin Alcaline
de recharger ses accus… Et ce n'est pas avec
de l'aspirine ou de la vitamine C que vous
remonterez la pente. Alors, cédez à vos
désirs sans vous brimer davantage. Ce
qui sauve est d'en demander
toujours plus à la vie !

Doux comme la soie
Les matières soyeuses sont de
véritables caresses (et vous en manquez
tellement), alors ne vous en privez pas :
portez culotte de soie, pantalon de mousse-
line, veste en taffetas et boa d'autruche autour
du cou, au choix ou simultanément. Sans
ressembler à un œuf de pâques, ça vous
donne une allure divine… La soie est si
douce que vous vous déplacez en
produisant un imperceptible
bruissement : un ange
passe ?

Bains de vapeur

Si la fatigue vous gagne au point
que vous ne savez même plus bien
dormir et si vos prochaines vacances ne sont
prévues que dans un mois (sans savoir où ni
avec qui !), alors accordez-vous une journée au
hammam et profitez de tous les soins proposés :
gommage, masque… C'est le moment d'y aller
avec votre meilleure copine, avec laquelle vous
êtes un peu en retard côté potins, car
l'endroit vaut d'y rester quelques heures,
exquises pour la palabre
philosophique !

Osez l'anticipation

Vous n'avez jamais osé la
littérature fleur bleue ? Pour se
guérir des chagrins d'amour, rien de tel
(et rangez sans scrupules le dernier
Houellebecq, qui vous dégoûte encore un peu
plus de l'existence). Lisez pour la première
fois un ouvrage de la collection Harlequin (la
collection « blanche », en milieu hospitalier,
sent le souffre) ou le magazine *Nous deux*.
Et commencez à écrire un roman
d'amour, avant de le vivre.

Le jour où vous pensez de
nouveau croiser l'âme sœur,
concoctez-lui un philtre d'amour
de votre invention : cannelle,
gingembre, vanille, clou de girofle,
vin rouge et… quelques gouttes
de votre précieux parfum.
Laissez le charme agir.

Pousses d'épinard aux fraises

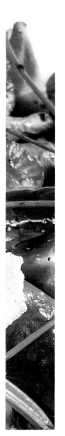

Ou comment révolutionner l'épinard en branche en lui évitant le mariage forcé à la béchamel au profit d'une belle histoire d'amour avec un fruit rouge. On obtient une assiette colorée, élégante et pas snob pour deux sous, avec un je-ne-sais-quoi de revenez-y. C'est bien vous : chic, nature et enjoué(e).

Temps de préparation : 10 min.

- 1 grosse poignée de jeunes pousses d'épinard
- 100 g de fraises
- Copeaux de parmesan
- 1 c. à s. de vinaigre balsamique
- 2 c. à s. d'huile d'olive
- 2 à 3 brins de ciboulette
- Sel et poivre

Laver les pousses d'épinard et bien les essorer avant de les mettre dans une assiette. Laver, équeuter et sécher les fraises. Les couper en 2, voire en 4 si elles sont grosses. Arroser les pousses d'épinard du vinaigre balsamique dans un beau mouvement de spirale qui, à lui seul, réjouit l'âme. Disposer les fraises, les copeaux de parmesan et les brins de ciboulette, sans les couper. Arroser d'huile d'olive. Saler et poivrer.

Mozzarella in carrozza

Pour l'heure, vous réclamez de la tendresse dans ce monde de brutes… Que faire pour se convaincre que la douceur – et rien qu'elle ! – est en vous ? La mozzarella, ce fromage frais au cœur moelleux, devient votre meilleure alliée : sa pâte au lait de bufflonne et son parfum subtil vous ravissent déjà les papilles et les souvenirs. Fondue, elle n'en demeure pas moins étonnante et réveille tous vos sens, jusqu'à vous rappeler que l'Italie est l'une des destinations les plus euphorisantes qui soient : la patrie des *latin lovers* et des doux dingues, celle de Saverio, qui nous a confié cette recette de mozzarelle en carosse, et qui dit aimer « Spinoza, Deleuze, les femmes pas trop compliquées et l'avenir radieux, même à la lumière électrique ».

Temps de préparation : 10 min.

· 150 g de mozzarella fraîche
· 4 feuilles de basilic
· 2 tomates sèches
· 2 à 3 c. à s. de chapelure
· 1 œuf
· Huile pour la cuisson
· Sel et poivre

Battre l'œuf avec du sel et du poivre. Laver et sécher les feuilles de basilic. Couper la mozzarella en tranches épaisses. Avec un couteau d'office fin, pratiquer une incision dans l'épaisseur pour y glisser du basilic et un morceau de tomate sèche. Rouler dans la chapelure sans oublier les côtés, tremper dans l'œuf battu, et rouler de nouveau dans la chapelure. Dans une poêle huilée très chaude, saisir ces croquettes jusqu'à ce qu'elles soient bien dorées et moelleuses. Servir avec une salade verte et quelques tomates.

Velouté de citrouille à l'huile de noisette

La couleur chaude de la citrouille vous réchauffe déjà le cœur, rien qu'à la voir sur l'étalage de votre primeur… Elle ou le potiron (autant dire blanc bonnet et bonnet blanc, ils sont cousins) sont, plus que tout autre légume, les champions des soupes à l'approche de l'hiver. Et là, miracle, elle est dorée, onctueuse, subtilement relevée d'un envoûtant parfum, celui de la noisette, aux pouvoirs étranges, qui vous donnent le sentiment de retrouver votre équilibre intérieur… si ce n'est un parfum d'enfance.

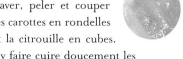

Temps de préparation : 30 min.

· 2 petites carottes
· 250 g de citrouille
· 1/2 verre de bouillon de légumes ou de volaille
· 3 noisettes (sinon des noix)
· 5 g de beurre
· Persil plat
· Huile de noisette
· Sel et poivre

Laver, peler et couper les carottes en rondelles et la citrouille en cubes.

Dans une sauteuse, faire fondre le beurre et y faire cuire doucement les carottes pendant 5 min. Ajouter la citrouille et couvrir. Laisser fondre les légumes 10 min en remuant de temps en temps. Ajouter 1 verre de bouillon de légumes ou de volaille et 1 c. à s. de persil plat haché. Saler et poivrer. Mixer et arroser d'un léger filet d'huile de noisette. Garnir avec quelques feuilles de persil plat ciselées ainsi que des noisettes concassées.

Soupe de carotte à la coriandre

« Les carottes, ça rend aimable », on vous l'a répété toute votre enfance !
Après avoir jeté un œil à la première définition que donne *Le Robert* de cet
adjectif (« Qui mérite d'être aimé »), nul doute que vous en ferez une cure.

Temps de préparation : 30 min.

· 150 g de carottes nouvelles
· 1 petite pomme de terre
· 15 g de beurre
· 1/2 oignon
· 25 cl de bouillon de légumes ou de volaille
· 1 c. à c. de coriandre moulue
· 1 c. à c. de coriandre fraîche hachée
· 1 c. à s. de feuilles de céleri hachées
· Huile
· Sel et poivre

Cuisinez-la crue ou cuite, en entrée, en plat et même en dessert, si vous appréciez le *carrot cake* des Anglo-Saxons. Un brin de coriandre vous transportera au-delà de la stratosphère Liebig pour flirter avec la puissance de l'authentique.

Laver, peler et couper les carottes et la pomme de terre en cubes. Hacher le demi-oignon et le faire revenir doucement dans une cocotte avec 10 g de beurre et une goutte d'huile. Lorsque l'oignon est devenu translucide, ajouter la pomme de terre, puis les carottes. Laisser fondre pendant 10 min sur feu doux et à couvert. Ajouter le bouillon chaud, porter à ébullition et laisser cuire doucement pendant encore 10 min. Faire fondre le reste de beurre dans une petite poêle, et faire revenir la coriandre en poudre en remuant sans arrêt pendant 1 min. Ajouter les feuilles de céleri et de coriandre et laisser cuire pendant 1 min encore. Verser ce mélange dans la cocotte et mixer l'ensemble. Saler et poivrer, décorer avec des feuilles de céleri pour ajouter une touche de couleur.

Variantes : pour adoucir la soupe, y ajouter 1/2 verre de lait avant de mixer l'ensemble ; pour la rendre plus tonique, verser quelques gouttes de jus de citron.

Soupe de courgettes au coulis de cassis

Laissez-vous séduire par ce mariage entre un légume, une herbe aromatique et la pulpe d'un fruit, qui n'est pourtant pas réputé facile en cuisine. Mais, dans cette phase de remise à flot, rien ne vous résiste, et l'idée de vous lancer de nouveaux défis vous anime d'une étrange passion. Tous ces ingrédients sont à portée de main en toute saison (pensez au coulis en conserve ou surgelé). C'est la recette par excellence qui vous sauvera d'une soirée cafardeuse grâce à la magie de ses couleurs, aux résonances amplifiées par la combinaison de ses parfums.

Temps de préparation : 20 min.

- 2 grosses courgettes (ou 3 petites)
- 2 c. à s. de crème fraîche liquide
- 5 feuilles de basilic
- 1 c à s. de coulis de cassis
- 1/2 bouillon cube de légumes
- 1 c à c. de gros sel

Faire bouillir une casserole d'eau avec un peu de gros sel et y jeter le demi-bouillon cube. Laver et couper les courgettes en petits morceaux, sans les peler (c'est dans leur peau qu'elles contiennent tout leur goût). Les plonger dans l'eau bouillante. Cuire 10 à 15 min selon la grosseur des morceaux. Égoutter les courgettes sans jeter le bouillon et les mixer. Ciseler les feuilles de basilic, les incorporer puis ajouter autant de bouillon que souhaité pour obtenir la bonne consistance, en mixant à nouveau. Avant de déguster, ajouter la crème liquide et un trait de coulis de cassis.

Gâteau à la violette

Un petit coup d'œil dans le rétroviseur pour consoler l'enfant qui brille derrière vos paupières closes sur les blessures à l'ego ; et le mal à l'âme s'enfuit à chaque bouchée de ce délice de grand-mère bretonne, qui nous ressort son vieux calva comme remède miracle contre les furoncles, les torticolis et les chagrins d'amour. Du miel et des fleurs pour faire passer la pilule. Tiens, mais j'ai les pieds qui battent la mesure… supercalifragilistic expiolodocious !

Temps de préparation : 45 min.

- 70 g de farine + 1 c. à c. pour le moule
- 30 g de farine de sarrasin
- 80 g de miel
- 40 g de beurre salé + 5 g pour le moule
- 25 g de confit de pétales de violette
- 1 c. à c. de levure chimique
- 3 cl de lait
- 1 c. à c. de calvados
- 1 œuf
- 1 dizaine de violettes cristallisées

Préchauffer le four à 220 °C. Beurrer et fariner un petit moule à cake (une terrine rectangulaire fera très bien l'affaire). Faire fondre doucement dans une casserole le miel, le beurre salé en morceaux et le confit de pétales de violette, jusqu'à obtenir un mélange homogène. Dans un saladier, casser l'œuf et le fouetter en incorporant le lait, puis les farines tamisées et la levure. Verser le beurre au miel et mélanger. Mettre la préparation dans le moule et cuire au four de 25 à 30 min. Démouler tiède et parsemer de violettes cristallisées. À déguster tiède ou froid.

Note

Comment ça, vous n'avez pas de confit de pétales de violette sous la main ? Renseignez-vous sur le site www.maisondelaviolette.fr ou commandez-en par exemple sur www.leschantsduterroir.com.

Crème de pamplemousse

Vous menez une vie à 400 à l'heure et, dans votre fuite en avant, vous ne prenez pas souvent le temps de vous asseoir à table. Est-ce une raison pour manger n'importe quoi ? Voilà une préparation douce pour tartine solitaire à consommer à toute heure de la journée, du petit déjeuner au dessert improvisé, sur une tranche de brioche, pour se préserver une petite bulle de plaisir au centre de soi, rien que pour soi, et savourer le présent le temps d'un instant.

Temps de préparation : 30 min.

- 1/2 pamplemousse
- 1 petit citron non traité
- 90 g de beurre
- 3 jaunes d'œufs
- 100 g de sucre en poudre

Laver le citron sous l'eau chaude. Le sécher soigneusement et râper le zeste en fins copeaux. Presser le demi-pamplemousse et le citron, filtrer le jus. Dans une casserole, battre les œufs avec le sucre pour obtenir une mousse claire. Incorporer le jus des agrumes et les zestes, chauffer doucement sans laisser bouillir jusqu'à ce que le mélange épaississe en crème. Couper le beurre bien froid en cubes. Retirer la casserole du feu et ajouter en pluie les cubes de beurre. Fouetter jusqu'à ce que l'ensemble tiédisse. Répartir dans des pots stérilisés et reboucher aussitôt. Laisser refroidir et conserver au réfrigérateur.

Galette à papa

Quand on a dix ans et qu'on voit son père à la cuisine pour la première fois de sa vie, on en déduit automatiquement qu'il n'est qu'un débutant. Un peu curieux, gourmand surtout, on regarde, on note, on se moque gentiment. Surtout à la vue des ingrédients, on plisse le nez à la perspective de prendre une part de dessert… Cette si jolie pâte à tarte, pétrie pourtant avec tant de d'amour et d'aisance (ah oui, tiens ?) va être gâchée par cette étrange mixture qui irait bien mieux avec des champignons… Mais on nous pardonne, parce que le jugement hâtif est compris dans le lot de l'âge bête.

Temps de préparation : 20 min.

- Pâte brisée
- 2 c. à s. de crème fraîche
- 1 c. à s. de vinaigre de framboise
- 1 c. à s. de sucre en poudre
- 1 pincée de sel
- Beurre

Préchauffer le four à 225 °C. Beurrer et saupoudrer de sucre un petit moule à tarte (15 cm de diamètre environ). Étaler la pâte et la piquer à l'aide d'une fourchette. Dans un bol, fouetter la crème, le sucre, le sel et le vinaigre. Napper la pâte et enfourner 15 min, jusqu'à ce qu'elle soit bien dorée. Dessert à déguster tiède ou froid.

Pomme fondante à la crème de cidre

Cela ressemble à un dessert des temps anciens et reculés. Cidre ou cervoise, au choix. Renouez avec vos racines, qui puisent dans cet esprit gaulois de résistance face à l'adversité. Une résistance néanmoins habitée par le réconfort des bons plats d'antan, qui en appelle plus au recueillement de l'estomac qu'à la lutte armée.

Temps de préparation : 20 min.

· 1 pomme
· 1 c. à s. de cidre brut
· 1 c. à c. de jus de citron
· 1/2 gousse de vanille
· 1 pincée de cannelle en poudre
· 1 c. à c. de crème fraîche
· 2 c. à c. de sucre roux
· 1 tranche de pain
· Beurre

Préchauffer le four à 240 °C. Laver la pomme. Couper la base pour qu'elle tienne bien droite. À l'aide d'un vide-pomme, ôter le cœur. Dans un bol, mélanger le jus de citron, la crème fraîche, le cidre, la pincée de cannelle et le sucre roux. Verser ce mélange à l'intérieur de la pomme et y planter une demi-gousse de vanille coupée dans sa longueur. Placer la pomme sur une tranche de pain beurrée. Cuire au four pendant 15 min : on obtient une pomme légèrement caramélisée et fondante.

La genèse du livre

Claire et Marina sont voisines de palier, trentenaires, en couple et avec enfants (ça crée des liens). L'une vit soudain le drame que l'autre a vécu quelques années auparavant, mais pas du même côté : dans une séparation, il y a souvent

claire.jacquet@free.fr

celui qui reste et celui qui part. Du coup, la seconde initie la première à la dégustation des parfums et saveurs qui ressourcent, recentrent et reconstruisent un moral qui bat de l'aile. Un principe à la fois sage et simple qui fait ses preuves en un temps record.

mveuillet@wanadoo.fr

C'est le point de départ de ce livre, traversé autant par l'expérience personnelle de la rupture que par l'expérience d'un échange à ce sujet (les hommes, les femmes, blablablabla…). Le cinquième étage d'un immeuble parisien s'anime alors d'une excitante fébrilité et les casseroles, poêles, cuillères valsent tandis qu'un éditeur est rapidement sur le coup et semble sentir le best-seller…

Que soient donc remerciés ici, pour leur présence amicale et leurs chaleureuses confidences, Anne Arregui, Béatrice Cherpitel, Noémie Cohen, François Curlet, Patrick Debusschère, Florence Doléac, Claire Dubois, Yvonne Fresneau, Claire Guézengar, Marie-Madeleine Jacquet, Benoît Lecarpentier, Maurice Lecomte, Pierre Leguillon, Sébastien Leroy, Guillemette Lorin, Saverio Lucariello, Bernard Mathonnat, Ariane Michel, Alexis Mosset, Gianni Motti, Cédric Protière, Anne Roumet, Maï Tran, Rémi Vandome, Carlos Velez de Villa et Simon Veuillet, ainsi que Florent Guézengar, pour ses meilleurs souvenirs de mélos cinématographiques.